QUÉBEC/AMÉRIQUE • JEUNESSE

Dirigée par Anne-Marie Aubin

N'AJUSTEZ
PAS VOS
HALLUCINETTES

Du même auteur

La Machine à explorer la fiction, recueil de nouvelles, coll. «Chroniques du futur», Le Préambule, 1980.

TéléToTaliTé, recueil de nouvelles, coll. «l'arbre», Hurtubise HMH, 1984.

Le Nord électrique, roman, Le Préambule, 1986.

Berlin-Bangkok, roman, coll. «Autres mers, autres mondes», Logiques Fictions, 1989.

Chocs baroques, anthologie, introduction de Michel Lord, coll. «BQ», Fides-Hurtubise-Leméac, 1991.

N'AJUSTEZ PAS VOS HALLUCINETTES [4]

JEAN-PIERRE APRIL

ÉDITIONS QUÉBEC/AMÉRIQUE

425, rue Saint-Jean-Baptiste,
Montréal, Québec H2Y 2Z7
(514) 393-1450

Données de catalogage avant publication (Canada)

April, Jean-Pierre, 1948-
    N'ajustez pas vos hallucinettes
    (Collection Clip ; 4)
    Pour adolescents.

    ISBN 2-89037-536-6

    I. Titre. II. Collection.

PS8551.P74N34 1991 jC843'.54 C91-096205-7
PS9551.P74N34 1991
PZ23.A67Na 1991

Dépôt légal:
3· trimestre 1991
Bibliothèque nationale du Québec
Bibliothèque nationale du Canada

Montage
Andréa Joseph

Table des matières

Les Orphelins de Hoï Tri

Les enfants constituent la principale richesse des pays sous-développés..., Hoï Tri en est la preuve vivante, avec ses rues grouillantes d'enfants à l'abandon. Mais que fait-on de cette richesse?

Chez nous, la plupart des survivants du génocide étaient tellement marqués par les massacres qu'ils ne parvenaient plus à élever leurs enfants, qui jouaient aux soldats à travers les décombres tout chauds.

Juste avant l'extermination totale, l'opinion internationale fut alertée, des organismes de secours intensifièrent leurs efforts, quelques diplomates en profitèrent pour hausser leur prestige au sein de l'ONU, et, à quelques minutes du désastre appréhendé, une réunion d'importants chefs d'État, télédiffusée en direct par satellite, avait sauvé l'ultime bastion de Hoï Tri, ou ce qui en restait.

Je me souviendrai toujours des grands soldats blêmes, au visage hagard; ils circulaient dans les rues sans nous voir, comme des fantômes égarés dans un décor étranger. Maintenant la guerre était finie, les cuirassés, partis, et les prostituées retournaient dans les rizières, dans des camps de fortune, ou dans leur village dévasté par le napalm. Parfois elles amenaient des enfants à la peau pâle, aux cheveux blonds. Mais je n'y prêtais guère attention; à notre âge, seul le chewing-gum, les gadgets électroniques et surtout les nombreux films à sensations nous rappelaient leur présence, aiguisant notre frénésie de gamins survoltés par le carnage où nous étions nés.

Malgré sa main droite emportée par un piège explosif, mon père persistait à parcourir le port, à la recherche d'un emploi de coolie ou de marin. Mais les pêcheurs affairés l'ignoraient poliment, ou encore ils déposaient une bouteille d'alcool dans sa main valide, et mon père les saluait du moignon tandis qu'ils s'empressaient de lancer leur jonque dans le golfe du Tonquin.

De l'aurore jusqu'au crépuscule, il circulait dans les rues jonchées de détritus, à la recherche de nourriture. Souvent, pour augmenter la récolte, il amenait les plus vieux des enfants, qui parvenaient tout juste à calmer leur propre appétit. Quelques-uns rechignaient à l'idée de servir la ribambelle d'enfants osseux, encore trop jeunes pour se tirer d'affaire. Certains de mes frères aînés, parmi les plus débrouillards, étaient disparus à tout jamais.

Mon père maigrissait autant que nous, sans pouvoir tirer suffisamment de ressources des ruines toujours fumantes. Il devenait désespéré. Il devait absolument diminuer la famille.

Un soir, alors qu'il avait bu une bouteille complète d'alcool de riz, il avait provoqué en duel tous les garçons hésitant encore entre l'univers famélique de l'enfance et la jungle des adultes. Ainsi, tous ceux qui lui offriraient suffisamment de résistance seraient déclarés en âge de partir. Les estropiés resteraient, sans autre consolation.

• • •

Ma force m'a perdu.

Le lendemain, mon père m'accompagnait pour une dernière fois dans les bas-fonds de la ville, au milieu d'un dédale de ruelles, pour m'y égarer. D'un geste vague du moignon, il m'a indiqué la zone où nos alliés construisaient des usines, là où je pourrais faire mon chemin, me dit-il sans conviction. Puis il a caressé ma mâchoire brisée, silencieusement, et il s'en est retourné en me laissant seul, à la merci de cette nouvelle classe d'adolescents abandonnés, réduits à piller la ville comme des chiens errants.

Pour se valoriser, ces bandes rivales se désignaient par des noms agressifs, à l'image de leur aspect rebelle. Elles opéraient avec cynisme, à la façon des bandits longuement observés à la télévision. En flânant au milieu des docks, j'ai rapidement rencontré quelques membres des Dragons Blindés, lesquels m'adoptèrent aussitôt, après une seconde cassure de la mâchoire.

Notre bande vivait relativement en bons termes avec les adultes du port, trop excités par l'arrivée des bateaux occidentaux pour penser à nous chasser. À la condition d'éviter les chauffeurs de taxi, qui cherchaient à prendre le monopole des trafics portuaires, nous pouvions mener une véritable vie d'aventures, répondant pleinement à nos idéaux de héros télévisés.

La nouvelle prospérité gagnait tout le

pays. Il fallait reconstruire des maisons, refaire les routes, réorganiser le réseau de communications, et les adultes n'avaient pas le temps de voir à notre éducation. En tout cas, au début...

Au moins, ils nous laissaient regarder leurs boîtes à images, qu'ils entassaient dans les vitrines des nouveaux magasins. Chaque soir, lorsque nous étions fatigués de vagabonder le long de la rue principale, comme des zombis hypnotisés par les façades de verre scintillant et de métal clinquant, nous nous entassions devant ces téléviseurs silencieux, en essayant de suivre plusieurs films à la fois, à l'affût des scènes violentes. Quand les karatéboys tournoyaient dans les airs et défonçaient leurs adversaires, au ralenti, nous avions l'impression de planer au-delà de notre misère et de démolir tous les adultes. En fin de soirée, lorsqu'un employé venait descendre un store de métal sur ces exploits télévisés, nous retournions à nos refuges, agitant les mains et les pieds vers des ennemis imaginaires, rêvant de vengeance cinématographique.

Blottis dans des grottes formées par des trous de bombes, ou allongés dans des abris de tôle et de carton au fond des terrains vagues, nous pouvions dormir en toute sécurité. Bien sûr, les adultes essayaient toujours de nous escroquer; ils cherchaient à nous échanger quelques bières pour les rétroviseurs, les radios ou les batteries que nous essayions de leur vendre, mais, après tout, c'étaient là des trucs qui leur appartenaient.

Si jamais un Dragon Blindé voulait acheter un beau collier à sa copine, ou lorsqu'il perdait une grosse mise sur un combat de chiens, alors il pouvait toujours se prostituer, pour se renflouer.

Quand le mal à l'âme nous prenait à la gorge, pendant que nous traînions nos pieds nus sur les trottoirs du Hoï Tri-by-night, les adultes nous laissaient aborder leurs belles autos reluisantes, arrêtées aux feux de circulation. Nous approchions alors nos lèvres des tuyaux d'échappement brûlants, le temps de pomper quelques bouffées de gaz, puis la lumière passait du rouge au vert, et nous repartions sur le trottoir, en zigzaguant, tandis que notre ennui s'effilochait dans l'ivresse de minuit.

Et quand les néons faiblissaient sous les lueurs de l'aurore, nous nous éveillions, affalés sur un trottoir, nous dégueulions, un nouveau jour naissait, nous continuions à errer dans le port et, le soir venu, nous recommencions...

•••

Autrefois, à l'époque où Tchien dominait le trafic portuaire, chaque nuit fournissait l'occasion de nous aventurer dans la cale d'un navire mal surveillé. Devant les tas de caisses empilées, autant de cadeaux venus de l'Occident, on jubilait comme des enfants de riches le soir de Noël, ainsi que nous l'avait révélé la télévision.

Nous aimions piger les gadgets les plus hétéroclites, dans l'espoir naïf de nous approprier la puissance des grands pays blancs. Souvent, nous passions des heures à nous oublier, à jouer comme des enfants normaux avec des babioles bigarrées, qu'il nous fallait briser pour en comprendre le fonctionnement.

Après ces fêtes nocturnes, nous abandonnions nos gadgets éventrés dans le port, comme si nous avions honte d'apporter des jouets dans le repaire des redoutables Dragons Blindés. Puis nous repartions en bombant le torse, tandis que le soleil levant nous gratifiait de nouvelles énergies.

Mais, aujourd'hui, nous sommes foutus.

Depuis que des médecins ont découvert le moyen de pâlir la pigmentation des enfants naissants, et de leur arrondir la fente des yeux, le Bureau d'Adoption des continents blancs fait concurrence à nos gangs.

Plus personne ne vient grossir les rangs des Dragons Blindés.

•••

Les chauffeurs de taxis ne craignent plus les représailles de notre troupe déclinante. Quand un Dragon isolé, de moins en moins blindé, longe une ruelle mal éclairée, ils ne se gênent pas pour lui écraser les tibias sous leurs pare-chocs.

D'ailleurs les Taxis possèdent déjà le contrôle du détroussage, de la drogue et de la délation. En passant par eux, les chasseurs d'enfants peuvent même obtenir un jeune enfant destiné à l'Occident. Un autre qui ne viendra jamais dans notre clan, et que nous envions un peu, sans jamais l'avouer.

Maintenant que les nouveau-nés jaunes valent une petite fortune sur le marché noir des continents blancs, au lieu de les abandonner, les pères préfèrent les vendre.

Hoa, ma petite amie, hésite à se faire avorter. Elle a une mine d'or dans le ventre...

Un futur bébé blanc...

De moi!

Et j'ai l'impression que Hoa m'a trompé avec tout l'Occident!

•••

Ce matin, Hoa s'est fait 540 dollars U.S. en leur remettant le bébé que je lui ai fait. C'est plus que tout ce que notre bande a pu récolter dans les neuf derniers mois de rapines.

Alors on a fêté l'événement avec une bouteille de whisky importée d'un riche continent. Ou on a cherché à l'oublier, je ne sais plus trop.

Puis je me suis acheté des vêtements occidentaux, j'ai appris quelques formules de politesse, et je me suis cherché un emploi. Je rêvais de devenir éboueur, ou vidangeur. J'avais beaucoup d'expérience dans les docks, mais aucune recommandable. Quel patron pouvait me faire confiance, avec ma carte d'orphelin?

Aucun.

Dorénavant, seuls les éboueurs licenciés, ceux qui sont passés par leurs écoles, pouvaient travailler. Il faut savoir lire avant de mettre le nez dans les poubelles, sauf pour les rats et les chiens. Et les Dragons Blindés.

Maintenant, les Dragons ramollis font sourire, comme les vieux films de karatéboys, désormais surclassés par les films d'aventures spatiales.

Les Taxis nous ont volé notre clientèle. Ils contrôlent notre dernière chasse gardée, le recel. Et lorsque les policiers nous aperçoivent après la tombée du jour, ils lancent leurs bergers allemands à nos trousses. Même en plein jour, si un Dragon se promène en solitaire, de jeunes écoliers l'attendent au coin des ruelles pour lui donner une volée de coups-de-poing américains.

S'il nous reste un peu de chance, nous attrapons un chat dans les faubourgs et nous le faisons rôtir sur des charbons qui traînent dans les chantiers de construction. Mais les organismes de protection commencent à nous poursuivre, dans l'espoir de nous enfermer dans leurs institutions de réhabilitation.

Même les reporters étrangers ne veulent plus payer pour nous photographier devant des ruines. D'ailleurs les marteaux-piqueurs achèvent de tout raser. Ensuite, ce sera notre tour. Nos binettes sales ne cadrent plus dans le progrès. Nous faisons peur aux touristes.

Bientôt, nous nous lassons de l'oxyde de carbone aspiré à la sauvette aux carrefours achalandés. Le gaz ne fait plus qu'envenimer une migraine permanente.

À seize ans, nous sommes dépassés par les événements. Notre romantisme juvénile étouffe dans un corps d'homme qui nous embarrasse.

Les travailleuses sociales nous donnent le choix entre l'école de réforme et la manufacture. Sinon, c'est la prison.

Je ne vois pas très bien la différence...

La plupart du temps, cependant, quand les rééducateurs en viennent à prendre l'un des nôtres pour l'un des leurs, après lui avoir appris à manier des ustensiles de métal et à marcher dans des souliers serrés, ils ne font que provoquer chez lui une honte diffuse. Tôt ou tard, l'ancien rebelle ne se reconnaît plus, les bonnes manières le minent, et il ne réussit plus à réveiller ces rires sauvages qui nous prenaient en groupe au coin des rues bruyantes et confuses.

Si jamais un ex-délinquant rencontre un jeune vagabond insoumis, il panique, il a l'impression de trahir les siens, il voudrait rentrer sous terre, et le Dragon Blindé qui dort toujours en lui en vient à détester profondément le pauvre Dragon apprivoisé qu'il est devenu. Alors, avant d'avoir éteint toute sa soif de liberté, il commettra un dernier geste de révolte, en se laissant tomber devant le pare-chocs d'un trolleybus, ou d'un Taxi, hara-kiri sans gloire d'un jeune survivant de la guerre, mort sur le front de la civilisation.

●●●

J'en suis là.
Adieu, Hoa.
J'espère seulement que notre bébé blanc jaunira avec le temps.

Jackie, je vous aime...

Un grondement sourd, noyé dans la bruine, s'élevait de l'extrémité brumeuse de Board-walk...

D'abord embrouillées, comme à la télé, puis émergeant d'une nuée poudreuse, une demi-douzaine de motos nucléaires surgirent du gris sans profondeur où s'estompaient les buildings de Brooklyn. Auréolés de rayons irisés, leurs phares trouaient l'averse. Puis une limousine immaculée, longue et silencieuse, naviga dans le sillage d'embruns pulvérisés par les motos. Enfin, en peloton de queue, un triangle formé par six motos parfaitement synchronisées, comme dans un jeu vidéo.

Sans freiner, la formation fantomatique

s'engagea dans un quartier désaffecté, au milieu de ruines gigantesques, là où les bombes de la Troisième Guerre avaient laissé des terrains vagues, parsemés de trous, de décombres et de végétations mutantes.

Les motos se disposèrent en file indienne, la Packard électrique augmenta l'intensité de ses phares anti-brouillard, et les véhicules slalomèrent mollement sur un chemin fangeux, pour s'enfoncer dans un tunnel de verdure éclaboussé de vase.

Au bout de la file, la moto n° 12 se laissait distancer. À demi enfoncé dans la selle moulante, son conducteur demeurait rigide, indifférent à l'environnement délabré. En fait, il rêvait, perdu dans son cinémaginant, son regard vissé dans l'éternelle brouillasse de New York Country...

Oui, je rêve, pour survivre au cauchemar...

J'en ai plein le casque d'escorter la vieille dans la jungle new-yorkaise! Alors je me vois en motocycliste héroïque, fonçant pleins gaz vers de nouvelles aventures..., et je prends du retard.

Qu'importe, je pourrais conduire les yeux fermés. Vingt ans de métier, et toujours le même chemin: la route étroite qui mène au cœur des quartiers marécageux, jusqu'au Studio Lola.

— Encore en train de rêvassouiller, Johnny?

La voix moqueuse de Marlo, résonnant dans mon casque.

Même plus moyen de se parler tout seul! Chaque fois que je le perds de vue, il faut qu'il grince ses sarcasmes dans mon casque-radio.

— O.K., le zélé; rentre pas le museau de ta moto dans le cul de la Packard! Je te rejoins en un bond, le temps de tordre l'accélérateur.

•••

Malgré tout ce kilométrage dans la zone des marais, la limousine de la patronne reste toujours impeccable. À croire qu'elle suit une cure, elle aussi!

En fait, dès que le chauffeur stationne son paquebot devant les vitrines mates du studio, un petit Noir descend de je ne sais où et commence à frotter la bagnole de proue en poupe. Parfois je me demande s'il est fourni avec la Packard...

Quand les serviteurs de Lola ont transporté la civière de la vieille à l'intérieur du bâtiment, les gardes de l'escorte ouvrent leur selle de bakélite et descendent lourdement de leurs motos parquées en diagonale. Tandis qu'ils se dégantent et se décasquent, rituel lent qui se veut impressionnant, les sentinelles de Lola s'approchent en traînant leurs bottes dans la boue violacée. L'un d'eux demande du feu, un autre fait apparaître une flasque de whisky, et on commence à papoter de la pluie et du mauvais temps.

Comme j'en ai ras le bol d'accompagner la patronne chez Lola, je suis le premier à jaser. Les jeunots en quête de désennui font cercle autour de moi, et l'histoire de Jackie, la morte-vivante, revient immanquablement sur le tapis.

— Vas-y, Johnny! Depuis tout le temps que t'escortes la vieille, tu dois en savoir des juteuses!

— Sinon, te gêne pas pour en inventer!

Alors je siffle le fond du flacon et je leur déballe les péripéties que j'ai concoctées pendant le trajet. Dans ses deux vies, Jackie a tellement connu d'amants que mes exagérations passent inaperçues. Mais, avant de les embobiner, j'aime bien me faire prier.

— Bande de petits tordus! Vous voulez savoir comment elle s'y prend, à son âge, avec ses amants?

— Nonon, Johnny, tu sais ben qu'on est sérieux, jurent-ils en salivant, la gueule fendue comme des diablotins.

— C'est bien ce que je pensais! Alors, qu'est-ce que vous voulez que je vous mente?

— Johnny! supplie un nouveau pendant que les autres bougonnent, raconte-nous sa première vie. Ma mère était même pas au monde quand Jackie régnait sur New York.

Ils sont comme ça! À cause de toutes ces réincarnations qui font ressurgir le passé dans notre décor, les jeunes sont obsédés par l'Histoire.

Mais est-ce possible de remonter aux sources de la légende? Moi, je ne connais que des histoires.

Avec un flacon de plus, je suis prêt à tenter le coup. La pluie coule sur nos collants de synthécuir, le crachin m'ennuie à mourir, mais je n'ai pas la moindre envie de fondre dans cette averse de mélasse. J'aime mieux me dissoudre dans les brumes du mythe Jackie.

— C'est une longue saga, tout ça... Je me demande si vous avez assez de bibine pour me soutenir la mémoire... Son histoire remonte au XXe, vous savez?

— Non, mais on aimerait ben. T'en fais pas pour le jus, monomme: les gardes de Lola ont une pleine réserve de carburant.

Deux gros gardes kaki hochent le képi.

— Bon, vous l'aurez voulue.

Comme certains toqués s'amourachent de grandes stars inatteignables, le docteur John J. Johnson s'était épris de la belle célébrité. Même si elle était morte, avant la Troisième Grande Guerre.

Le docteur cherchait à la rejoindre à travers sa légende vivante. Il avait dévoré toutes les biographies qui continuaient à lui faire la cour *post mortem*.

Un jour, ayant appris que son dernier amant, «le Maître du Monde», l'avait fait congeler, Johnson se mit à nourrir pour elle des espoirs insensés.

Car personne ne savait comment réchauffer ces milliers de corps congelés. Du moins, sans les tuer une seconde fois.

Depuis la fin du XXe, on les entassait dans d'immenses entrepôts frigorifiques, tandis que les vivants occupaient un espace de plus en plus contingenté. À part les charlatans, qui s'essayaient et rataient leur coup, personne n'avait réussi à faire revivre cet héritage devenu encombrant.

Malgré les sermons de Jean-Paul IV et les interdictions de la Coalition Communiste Catholique, plusieurs laboratoires expérimentaient diverses formules de résurrection. Le

Club de l'Homme et l'Église Tao-Freudienne avaient bien soulevé le danger des paradoxes historiques, mais, dans l'ensemble de la population, on voyait la situation différemment: seuls les grands maîtres du passé, aujourd'hui congelés, pouvaient relancer notre société sur ses rails.

Et, depuis que la population ne parvenait plus à se reproduire, notre avenir était peut-être dans le passé...

Dans son bain cryogénique, Jackie, le sourire de glace, restait indifférente à la décadence. Elle avait atteint la cent-cinquantaine lorsqu'on l'avait surgelée, au moment où la vie allait quitter son corps. Sous le panneau vitré de son sarcophage frigorifique, ses plis resplendissaient de vie, toujours la même vie, parfaitement figée, comme si Jackie était devenue la statue d'elle-même.

John J. en avait les larmes aux yeux. Chaque matin il venait inspecter la cryogénée avec attention, de crainte qu'un jour son beau sourire de glace ne soit lézardé. Pour un peu, la chaleur de ses émotions aurait fait fondre sa bien-aimée...

Dans le but de réanimer Jackie, le docteur Johnson avait consacré dix ans de sa brillante carrière à la Cryogenius Computer Corporation, là où une équipe de chercheurs était sur le point de réussir une première résurrection expérimentale.

Quand ce fut fait, Johnson envisagea un tournant dans ses relations amoureuses. Son plan était simple, il comprenait deux étapes: kidnapper Jackie, et réanimer Jackie.

Pour sûr, elle ne manquerait pas d'épouser son sauveur...

Mais entre elle et lui, pouvait se dresser ce fameux «Maître du Monde», que Jackie serait sans doute tentée de décongeler...

Il fallait l'éliminer avant qu'il ne reprenne vie!

•••

Dans les décors décadents d'Hollywood, où se confondaient les stars, les cinéastes et les reporters, Tom D. Leary était considéré comme «le Maître du Monde», le titre de son dernier cinérama étant devenu son titre de gloire.

Le Monde en question était celui des studios de tournage, de beauté et de rajeunissement, et le Maître, quand il était vivant, prenait ces décors pour la réalité. Il ne lui manquait plus qu'une légende, et Tom cherchait un scénario qui pourrait lui faire vivre une histoire d'amour... éternelle!

Jackie, quant à elle, n'avait que 150 ans lorsque Tom lui proposa quelques scènes dans sa vie privée. Le supermilliardaire désirait se payer un mythe personnel en engageant des stars, des cinéastes, des critiques et même des publics qui voudraient l'immortaliser sur écran géant.

Mais la liaison avait ébranlé Jackie. Son troisième cœur greffé était sur le point de lâcher.

Au chevet de sa maîtresse, le Maître du Monde avait juré de la faire congeler. Devant les caméras qui fixaient ces moments historiques, il avait poussé le scénario jusqu'à lui promettre de se faire congeler à son tour. Et, plus tard, quand la science serait à la hauteur de leur amour, tous deux se feraient décongeler dans un paradis hollywoodien, où Jackie serait sacrée déesse...

●●●

Il avait parlé trop vite...

Maintenant Tom D. Leary bouillait dans un sas de décryogénisation.

John J. Johnson avait inversé le mécanisme du congélateur, pour le régler comme un four à micro-ondes.

Le docteur l'avait liquéfié la conscience

tranquille: qui donc pourrait l'accuser d'avoir tué un non-vivant?

Une fois débarrassé de son rival, Johnson s'attaqua au congélateur de Jackie. Tout doucement, cette fois. Pour éviter de faire craquer ses beaux traits glacés.

En émergeant du gel, toute nue dans un bassin métallique, sous un couvercle vitré dominé par la figure crispée du médecin, Jackie eut un long frisson d'effroi.

Une convulsion violente agita ses membres. Dans un geste panique, incontrôlé, elle défonça le couvercle de verre, et un éclat malencontreux se logea dans la poitrine battante de son sauveur, le tuant sur le coup.

•••

Il y eut titres-chocs, scandales, contestations, versions filmées, sosies sans âme, poupées parlantes, études sociologiques, parodies populaires et jeux télévisés.

À peine réchauffée, Jackie redevenait super-star. La seule digne de prendre le relais de la première Jackie. On disait qu'elle se cherchait un amant hors du commun, et elle en trouvait plusieurs.

Il y eut:

Mesu-Misou, le poète-samouraï, dont

l'amour était trop intense pour durer long-temps. Dès la première fugue de sa belle, il se fit hara-kiri en se découpant le ventre au la-ser à la fin de ses adieux télévisés.

Billy Ballmayer, le Roi de la Récupéra-tion, mais ce grand connaisseur de déchets avait un grave défaut: son argent ne sentait pas très bon.

Kim-Pong, le célèbre mutant pondu pseu-do-accidentellement dans un laboratoire de généticiens arrivistes. Hélas! cet amant pro-fessionnel avait des tas d'ennemis, jaloux de ses avantages: menton parfaitement carré, muscles moulés, fourrure au poitrail et, sur-tout, un engin sexuel offrant des reprises fa-buleuses. Les maris bafoués le traitaient de vilain singe, et, au bout d'une semaine dans la jungle, Jackie en fit autant.

Il y eut aussi Jean-Bol Smarthes, le grand non-penseur du non-sens, à l'origine de trente-deux révolutions de Club Med. La trente-troisième fut de trop, il en creva.

Mack Gigueur, le superpervers, désarti-culé en dansant devant Jackie.

Et son frère opposé, Mario, le superpur; il chercha l'essence de Jackie, mais ne trouva que le psycho-mental.

Réal, prétendument descendu des étoiles, et il y retourna, jusqu'au septième ciel, catapulté par l'amour de Jackie.

J.P. Palir, l'écrivain perdu dans les péripéties de ses deux vies...

Et plusieurs autres, qui n'osaient même pas avouer leur amour impossible pour la demi-morte en sursis, la belle au cœur dormant, la star revenue du froid.

Jackie, Ô Jackie! nous t'aimons tous! Nous nous ferions congeler pour obtenir ton amour de glace. Mais avec lequel d'entre nous partageras-tu ton éternité frigorifiée?

•••

Par malheur, les sentiments de Jackie semblaient s'étioler avec le temps.

La technique de réanimation mise au point par la Cryogenius s'avérait défectueuse. Après quelque temps de seconde vie, certaines parties de l'organisme recommençaient à mourir. Un bon matin, l'être décongelé se réveillait avec une haleine fétide, des muqueuses gâtées, ou des bras morts, littéralement. Et cela sentait le poisson dans un frigo en panne.

Pour revigorer leur peau morte, les ressuscités devaient recourir à des stimulants antithanatogènes, des greffes bioniques et des électromassages douteux. Bien sûr, la

Cryogenius fournissait les traitements nécessaires et les pièces de rechange, mais les survivants devaient y consacrer des sommes fantastiques. Aussi, celle que les vidéozines avaient baptisée «l'Ameriqueen» plaquait-elle ses amoureuxpour disparaître de toute urgence dans un studio de beauté, là où elle subissait des greffes de plastiderme, pour arracher son corps à l'entropie.

Il y avait toujours une file d'attente d'amants en puissance, souvent de riches petits vieux, papas gâteux touchés par la lutte de Jackie contre la mort. Mais aucun ne pouvait lui apporter la sécurité que lui avait déjà procurée Ulysse O. Nassis, dans sa première vie, au XXe, quand votre grand-mère n'était qu'une enfant...

Soudain, au moment où j'allais aborder l'amour dispendieux de «l'homme qui voulut acheter l'Amérique», un hurlement déchirant retentit dans la nuit!

•••

Un cri d'outre-vie, en provenance du studio...

Aussitôt, les soldats de Lola m'abandonnèrent au milieu de mon histoire pour s'approcher du bâtiment, sur la pointe des pieds.

Un silence de mort s'installa parmi nous. Un silence à découper au laser, à peine troublé par le beuglement étouffé des crapauds géants, montant des marais avoisinants.

Les gardes hésitaient, entre moi et Lola. Finalement, le goût des histoires l'emporta sur le sens du devoir: ils revinrent se placer autour de moi.

— Il arrive que les traitements de rénovie font souffrir des patientes trop crispées, murmura l'un d'eux, comme si Lola pouvait l'entendre.

Je me sentais un peu coupable; je craignais vaguement d'avoir fait souffrir Jackie en réveillant sa légende. J'avais le sentiment de commettre un sacrilège..., et ça m'excitait.

L'incident avait eu au moins un effet bénéfique: j'étais à cours d'épisodes fabuleux, et cette interruption m'avait fourni l'occasion d'imaginer un Ulysse O. Nassis plus grand que nature, et qui ferait basculer leurs flacons dans mon verre.

●●●

Le vieil Ulysse avait fait le tour du monde des affaires. Plusieurs fois. À s'en étourdir...

O. Nassis avait connu toutes les transactions douteuses, et il en avait inventé d'autres.

Selon les potins qui naissaient dans son sillage, le riche armateur grec avait même offert de payer les dettes faramineuses de New York Country, à la condition qu'on lui cède toute l'industrie cinémythique d'Hollywood!

Les deux hommes les plus puissants du continent urbain, Ulysse O. Nassis et John Kandy, s'affrontèrent.

«Le PDG du monde» contre «le Roi de l'Amérique», titraient les vidéozines.

Mais l'Amérique n'était pas à vendre. Elle était trop endettée pour intéresser les investisseurs. Et le roi John fustigea le vieil Ulysse, qui dut retourner en croisière dans la Méditerranée.

Pendant plusieurs étés, telle une corneille sur une banquise, il promena sa silhouette morbide sur le pont de son yacht éclatant. Nassis attendit patiemment que le destin abatte le président, parti en tournée dans sa showmobile. Puis il revint aborder l'Amérique, bien décidé à l'acheter, ou à la corrompre.

Mais l'hypermilliardaire avait le cancer de la peau. Et il aimait trop la chaleur du soleil pour accepter de se laisser congeler. Avant de mourir, cependant, le vieux basané voulut se payer une histoire d'amour digne de l'immortaliser. Pour que sa vie devienne le prétexte à de nombreux films, il ne lui manquait plus qu'une association avec une grande dame de ce monde. La plus grande:

Jackie, l'Ameriqueen, la veuve de New York Country, la victime vivante du drame public où avait péri son mari. Car la bombe qui avait eu raison du président avait failli faire éclater le cœur de Jackie...

Évidemment, on avait congelé le Roi de l'Amérique. Mais on ne songeait guère à réanimer un morceau de chairs déchiquetées.

Le drame, télévisé en direct, avait refroidi les élans de Jackie. D'ailleurs, des caméras et des micros la suivaient partout, et, pour qu'elle conserve son masque tragique, les autorités du pays subventionnaient ses déplacements.

Ulysse lui offrit le double si elle l'accompagnait dans son île flottante.

Jackie désirait l'anonymat, le repos et la liberté.

Elle accepta.

Mais elle connut le scandale, l'épuisement et les obligations.

Pendant sept ans Jackie parcourut le monde sur son île, attendant patiemment la mort de son richissime époux. Ulysse se montrait jaloux comme un coq, il surveillait continuellement Jackie, surtout lorsqu'elle se promenait toute seule et toute nue sur son île... Mais il ne réussit même pas à cacher les premiers plis de ses fesses aux paparazzi!

Jackie...?!

Est-ce toi qui cries dans la nuit?

● ● ●

Ce fut une plainte déchirante, qui fit taire les crapauds à un kilomètre à la ronde.

On aurait juré qu'on torturait quelqu'un dans le studio de Lola.

Personne n'osa parler, sauf un jeune garde, trop friand d'histoires:

— Et avant Nassis, Jackie s'était-elle servie de Kandy pour devenir une star?

En guise de réponse, un hurlement effroyable nous déchira les tympans. Pas de doute, c'était bien la voix de Jackie, amplifiée par une douleur extrême.

Voyant que la troupe allait se disperser, le jeune garde effronté s'excita:

— Est-ce vrai que Jackie régnait sur le premier Roi de l'Amérique, celui qui aurait rassemblé tous les États de New York Country? Est-ce pour cette raison qu'il fut sacrifié par un groupe d'Antitout? Et son frère, était-il...

Les gémissements répétés de Jackie couvraient sa voix. Heureusement, d'ailleurs, car les réponses commençaient à manquer!

En un rien de temps, les gardes de Lola s'étaient rassemblés autour du studio, nous laissant seuls dans la nuit froide, plus humide que jamais. Au loin, des crapauds géants se lamentaient faiblement.

De longues minutes s'écoulèrent, interminables, perdues dans la brume. Nous aurions reçu le prochain cri avec soulagement... Finalement, les copains retournèrent à leurs motos; pour déjouer la tension, ils commencèrent à les nettoyer. Soudain, j'aperçus un garde qui me faisait des signes discrets sous un réverbère.

Rendu sur les lieux, je reconnus mon jeune auditeur curieux. Il posa un index boueux sur ses lèvres et m'invita à le suivre devant une fenêtre translucide où bougeaient des ombres floues. Sous son képi, ses traits avivés prenaient un aspect démoniaque, et ses petits yeux malins brillaient de complicité.

D'un geste vers le rebord de la fenêtre, il me fit comprendre qu'une lézarde permettait de voir à l'intérieur. La situation insolite me captivait; je me croyais perdu dans l'une de mes propres improvisations, au tournant d'un épisode aventureux.

À travers le mince interstice, j'aperçus

d'abord une buée éblouissante, puis, quand ma rétine se fut habituée à l'intensité des projecteurs paraboliques, je vis des médecins autour d'une table d'opération couverte d'un drap vert fendu d'une échancrure de chairs rouges.

Sous le gros embout d'un tuyau de plastique, je reconnus la tête de Jackie, agitée de soubresauts aberrants.

●●●

Dans la clarté irréelle, les médecins masqués agitaient leur sarrau couvert d'éclaboussures amarante. Tout autour de la table d'opération, divers spécialistes consultaient des tableaux électroniques, l'œil bondissant, rivé au tracé répété des voyants lumineux qui s'agitaient simultanément, avec de moins en moins d'élan, au rythme des pulsations intimes de la patiente.

Parfois, des gémissements s'échappaient de l'appareil respiratoire. Comme si les instruments souffraient pour Jackie.

Le chirurgien principal, tel un chef d'orchestre, dirigeait les manœuvres délicates de ses subalternes, tandis qu'ils s'affairaient comme des abeilles autour de leur reine. Une infirmière épongeait continuellement le front du médecin en chef. Sans doute pour tromper ma nervosité, je suivais du regard cette jolie femme, si je pouvais me fier à ses grands yeux de biche pour imaginer ses traits sous le masque vert.

Tout à coup, je ne pus réprimer un mouvement de recul lorsqu'un spécialiste s'évertua à maintenir un organe bionique dans l'échancrure pulsative qui glougloutait sous les feux des projecteurs.

Malgré tous ces efforts, la poitrine béante de Jackie recrachait sans arrêt l'organe de remplacement.

De temps à autre, comme s'il était dépassé par cette charcuterie, le chef d'orchestre se retirait derrière les projecteurs pour se détendre les doigts. Les grands yeux mobiles de son assistante se détournaient alors de la scène sanglante, et je croyais y lire un douloureux sentiment d'égarement.

Un moment, le chirurgien retira son masque pour respirer profondément, et je reconnus aussitôt le célèbre docteur Ian Person, vedette auprès des vedettes du cinéma. Grâce à sa découverte, le plastiderme, il modelait d'illustres inconnues de façon à rendre à Hollywood des superstars comme Jane Harlow, Linda Lovelace ou Mary-Moon Mornow.

Pendant que l'équipe médicale s'agitait autour de l'Ameriqueen, ou de ce qu'il en restait, le jeune gardien de Lola, sans doute impatient, commença à m'asticoter avec ses questions sur John Kandy.

J'avais oublié la légende du bon roi John, le premier mari de Jackie, mais le jeune garde, un peu trop soûl à mon goût, s'impatientait comme un gamin insomniaque: il lui fallait sa dose d'histoires pour se calmer.

Je comprenais maintenant son stratagème: pour avoir droit à mon poste d'observation, je devais lui dévoiler le drame de John Kandy! Une histoire à l'endormir debout, que je lui livrerais par bribes, entre deux coups d'œil à la scène de la transplantation.

— John Kandy, bien sûr... Malgré ses lourdes fonctions, il souriait comme un enfant; on aurait dit qu'il s'amusait continuellement... Il désirait le bonheur de tout le monde, et il était si juste qu'il força le monde entier à faire la paix. Le gentil John avait toujours raison, voilà pourquoi on l'a tué, en pleine gloire, au beau milieu d'une parade.

— Et le beau John est tombé de sa showmobile, entraînant Jackie dans sa chute...

Vas-y, titomme: maintenant, t'as plus besoin de moi pour te raconter des histoires...

•••

Le maître-chirurgien perdait le contrôle de la situation.

Les coudes levés, les mains dans la chair ouverte, il se démenait comme un boucher sadique sur une carcasse coriace. À deux ou trois reprises, il lança un organe de plastiderme dans une poubelle et opta pour un modèle différent, mais il ne parvenait jamais à suturer les connexions effilochées. La chair gélatineuse s'étiolait sous les gants du médecin. Le trou sanglant s'étalait sous le drap écarlate. La plaie vomissait tout ce qu'on lui présentait...

Tout à coup, Person chancela devant la tête agitée de Jackie.

La patiente rejeta son masque à oxygène.

Sa figure laiteuse se dressa devant un oreiller souillé de sang, puis ses lèvres bleuies se lézardèrent dans un cri de détresse, qui me glaça.

En même temps, je sentis un léger martèlement sur l'épaule. Et je faillis hurler à mon tour!

Je me retournai vivement, redécouvrant mon jeune auditeur ahuri:

— Dis donc, les médecins vont-ils la sauver ou l'achever?

Une intuition me poussa à la prudence. D'ailleurs, je lui aurais dit la vérité qu'il ne m'aurait pas cru.

— T'en fais pas: le toubib est en train de lui changer quelques cordes vocales. Prépare-toi à l'entendre chanter!

— Et le Roi de l'Amérique? Pourquoi avait-il épousé cette criarde? Est-il vrai que John la trichait? Il paraît que Kandy se savait condamné. Penses-tu que Jackie s'est vengée?

— Assez!... Je ne pourrai jamais te raconter cette histoire si tu me bombardes continuellement de questions! Je suis fatigué, à la fin! Laisse-moi donc assister au spectacle, et va boire avec les copains. Ensuite, je te déballe le paquet, O.K.?

Je n'ai pas entendu sa réponse. Il a dû partir parce que je ne le voyais plus, je n'avais plus la moindre idée de son existence, j'étais rivé au spectacle de Jackie.

Dans la salle d'opération, une autre voix, sortie de nulle part, lui tenait maintenant compagnie!

•••

Dans la lumière crue, Jackie gigotait, seule et sanglante.

Les médecins, comme repoussés par une vague d'horreur, s'étaient tous reculés dans la pénombre, tapis derrière les projecteurs.

Un technicien sournois, souple comme un chat, débrancha la batterie d'instruments. Les aiguilles affolées des cadrans se calmèrent. Mais pas Jackie. Elle se tordait dans ses sangles, telle une bête piégée, luttant pour sa survie.

Une plainte caverneuse, une sonorité fossile, une voix d'au-delà planait dans la pièce blanche. Cela semblait provenir de sa plaie, grande ouverte, comme tordue de douleur. Saisi par la scène, je distinguais de longues syllabes mourantes, aux sonorités saignantes:

— Jackie!... Enfin, te voilà!

— Qui est là? s'écria Jackie, l'embout de plastique collé au menton. John?!... C'est toi, mon beau John? Tu es revenu?

— Non, Jackie, protesta faiblement le fantôme de Kandy. Je ne suis pas revenu, puisque j'ai toujours été en toi.

C'était une voix d'homme, déchirée, lointaine, et pourtant si près, tout à fait intime, comme si elle provenait de la poitrine ouverte de Jackie...

Je faillis défaillir. Heureusement, le jeune garde de Lola arriva à temps pour me bombarder de questions. Je dus lui expliquer que les médecins ajustaient les nouvelles cordes vocales qu'on venait d'implanter à Jackie.

Comment en arrivais-je à mentir aussi impunément? Le sang pulsait dans mes veines, le pouls me résonnait entre les tempes, la peur me martelait le cœur. Mes jambes ramollissaient, sur le point de couler dans la boue. J'allais me liquéfier dans la bruine quand un nouveau cri me fit revenir à moi. Le dos appuyé contre le gardien, je pris une grande goulée d'air mouillé avant de retourner au spectacle extra-chirurgical.

Les masques baissés, en quête d'air, les médecins abasourdis longeaient les murs. Des infirmières se tenaient par les mains, d'autres chiffonnaient leur sarrau. Un technicien balbutiait en agitant une manette inutile.

La voix masculine grinchait comme un vieil enregistrement du XXᵉ. Pourtant, malgré le bruit de friture, elle se voulait rassurante. Tandis que la voix de Jackie, apaisée, coulait comme une source.

Il devenait difficile de suivre la conversation. Les voix réunies de John et Jackie se confondaient dans le même chuintement. J'avais l'impression de commettre un sacrilège, d'assister à la rencontre intime de Jackie et de John Kandy, le Roi de l'Amérique, défiant le scalpel de Person...

Soudain la dépouille encore vivante de Jackie se tendit sous les draps dégouttant de plasma. Un cri strident, tel un crissement insoutenable, éclata dans la pièce. Une voix provenant de la chair même de Jackie:

— Jackie chérie!... Depuis tant d'années tu cherchais un homme, un vrai, alors que j'étais toujours là, en toi!

— John, c'était donc toi que je cherchais à travers tous ces amants!

— Ne pleure pas, darling, tes beaux traits vont s'effondrer. Souris-moi une dernière fois.

— Johnny, ne m'abandonne pas: je ne pourrai pas survivre sans toi!

— Jacqueline, I love you...

Ce n'étaient plus des paroles, c'était la chair qui geignait. La plaie parlait!

Puis elle ne parlait plus.

Jackie soupira, sa vieille peau coula dans les draps, et sa poitrine exprima un dernier chuintement, vomit un organe, et se tut.

John et Jackie s'étaient rejoints dans l'outre-vie.

• • •

Les projecteurs s'étaient éteints, Jackie aussi, et les médecins restaient silencieux, comme si l'ambiance de mort les étouffait.

Dépité, le maître-médecin arracha son sarrau et jeta son bonnet dans une flaque de plasma.

— Merde! rugit-il. La Kandy n'est plus récupérable! Il faut absolument taire le drame: si les potins s'emparent de l'affaire, on va récolter une réputation de bouchers, et on finira bien par avoir la peau de Lola!

— Qu'est-ce qu'on va faire de ses gardes du corps, les types en moto qui attendent à l'extérieur?

C'était l'assistante de Person. Elle avait laissé tomber son masque, et je le regrettais: ses beaux grands yeux bleus juraient avec ses petites lèvres féroces, serrées comme une cicatrice.

Dans mon dos, le gars de chez Lola s'énervait. On aurait dit un chien soupçonneux, ne sachant s'il devait mordre ou lécher.

Tout à coup, une porte d'acier pivota au fond de la salle d'opération, découpant un parfait rectangle de lumière jaune dans la pénombre. Un fauteuil motorisé apparut devant les médecins, et je vis un petit corps ratatiné, comme une patate pourrie, coincé entre des tubulures d'acier.

Lola!

Entre l'énorme perruque gris-bleu et les fleurs géantes du kimono, un tas de plis poudrés remua, et une voix métallique grinça dans le haut-parleur du véhicule:

— Espèce de bouchers! Maintenant il va falloir enterrer tous ces motards. Avec leurs motos! Si jamais les potins s'emparent de la Kandy...

Inutile de m'éterniser, je devinais la suite.

Alors je me suis retourné vers mon jeune auditeur. Il me souriait comme un grand gaga, attendant la fin de son histoire.

Il allait l'avoir, et ce serait une chute bien plus abrupte qu'il le pensait:

— Alors, tu veux savoir pourquoi John Kandy n'a pu échapper au scénario de sa mort télévisée?... Eh bien, il faut se mettre un peu dans sa peau. Vois-tu, il était grisé, aveuglé par les feux de la rampe, et il ne distinguait pas très bien les gens autour de sa showmobile... Tiens! supposons que tu es le Roi des Américains, tu baignes dans la lumière, là! et moi, je suis un pauvre minable dans l'ombre derrière toi. Tout le monde a les yeux braqués sur le roi John, et pourtant, qui détient le pouvoir? C'est le pauvre minable blotti dans l'ombre.

J'ai fermé les yeux (je n'aime pas voir un type s'effondrer), puis j'ai cogné très fort.

Excusez-moi, mais c'était lui ou moi. Son histoire s'arrête ici, avec celle de John Kandy.

Reste la mienne, maintenant...

•••

Comment avertir les copains sans attirer l'attention des sentinelles de Lola? Et comment le faire vite, avant que ses tueurs fassent irruption?

Un obscur instinct me conduit vers ma moto, que faire d'autre? Tout à coup, l'illumination: je règle le haut-parleur de ma Hondatomic au max, et j'invite les gars à monter à moto pour les exercices habituels. Qui n'existent pas. J'espère bien qu'ils ne manqueront pas de se méfier...

Au moment où je m'enfonce dans ma selle, une poignée de civils armés de revolasers émergent d'une sortie dissimulée derrière une haie. Les jets de lumière strient la nuit, les copains ripostent, et je suis le seul à pouvoir lancer ma moto dans le crachin, illuminé par une soudaine explosion. En me retournant, j'ai tout juste le temps de voir flamber un tas de motos.

... Un peu défaillant, mais soutenu par la selle qui me va jusqu'au thorax, je fonce vers les lueurs mouillées de Boardwalk, au loin, comme un immense panneau-réclame ondulant sous la pluie. Des méandres boueux surgissent dans le cône lumineux de mon phare. Tout autour, à une vitesse vertigineuse, des ombres sauvages défilent, saisissant mon imagination affolée, et je vois des taillis d'arbres noueux surgissant comme des crapauds géants dans la nuit liquéfiée.

... Aux premières lueurs de l'aube, j'arrive à peine à ouvrir les yeux, et c'est la moto qui me conduit. Des serpents de brume louvoient sur la piste, m'invitant à rêver. Avant de tout perdre de vue, je dois m'arrêter un moment pour nettoyer la boue tartinée sur mon cockpit.

Au moment où je cesse de frotter la vitre, les crapauds géants se taisent, et, subitement, j'entends un bourdonnement bizarre qui s'approche derrière moi... On dirait le son défecteux d'une moto...

Pour en avoir le cœur net, je me cache dans un bosquet et j'attends quelques minutes, quand j'aperçois tout à coup ma Hondatomic, oubliée sur le bord de la route!

Trop tard pour la dissimuler, la moto inconnue approche... Peut-être celle d'un gars de Lola...

Je pointe mon revolaser.

Mais non! c'est la moto d'un copain, la numéro douze, celle de Marlo! Aussitôt, je sors de mon bosquet en faisant de grands signes, au risque de le faire planter dans le décor!

Mais la moto continue tout droit. Marlo passe à toute vitesse, sans un geste pour moi! Dans son dos, j'aperçois une large tache écarlate, comme un écusson sanglant sur sa veste de synthécuir.

Marlo est mort, mais le pilote automatique ramène son cadavre aux garages de Jackie.

•••

Vingt minutes plus tard, j'ai doublé ce pauvre Marlo en fermant les yeux. Puis j'ai bifurqué vers la voie d'accès de Boardwalk, en valsant sur la chaussée boueuse. Une vraie flaque à cochons!

La pointe des buildings émergeait de la brume matinale, rose cendrée, avec de longues traînées brunâtres. Comme d'habitude, un crachin blafard noyait New York, le jour n'était pas beaucoup plus clair que la nuit, et les édifices illuminés baignaient dans une aura délavée.

Ma petite randonnée chez Lola m'avait ouvert l'appétit. Mais il était trop tôt pour bouffer, pas un resto-clip d'ouvert. Seul sur Broadway, je dévalais l'avenue en zyeutant l'image tordue de ma moto renvoyée par les vitrines bleutées. La faim, la fatigue et les vapeurs de la ville me faisaient halluciner doucement, les reflets des buildings zigzaguaient dans les flaques de boue, et je roulais dans un grand mythe brumeux, en gros plan dans mon cinémaginant...

Je rêvais de raconter mon histoire au grand écran... Je regardais déjà le film, il se déroulait sur la visière de mon casque, et j'assistais aux débuts de Jacqueline Bivier, la petite intervieweuse timide devenue beaucoup plus que la femme du bon roi John.

Après un tourbillon d'images où défilent John J. Johnson, Tom D. Leary et Ulysse O. Nassis, tout se termine en catastrophe sous le scalpel du docteur Ian Person.

Mais non! Je défonce la fenêtre! Je bondis comme un fauve dans la salle d'opération et, revolaser à la main, je prie Person de bien vouloir sauver Jackie.

•••

Jackie revit!

En deux temps trois mouvements, je l'assieds sur ma Hondatomic et je lance mon engin à travers les marécages. Dans les couleurs brillantes du petit matin cinémascopique, nous voguons avec entrain et volupté, cheveux au vent, face à l'énorme falaise de Manhattan...

La dernière séquence rejoint la première. Même route, même décor de boue (comment pourrait-on y échapper?), mais cette fois il n'y a plus qu'une seule moto.

Une moto à deux têtes.

Derrière moi, Jackie rayonne sous le cockpit de la Hondatomic, ses mains rivées à ma veste, son sourire rajeuni de cent ans.

Comme dans un rêve, je m'arrête doucement devant un resto-clip, tandis que la serveuse fait glisser les persiennes en bâillant.

En descendant de moto, Jackie se retrouve dans mes bras. Puis on s'embrasse, longuement, comme pour échapper au mot fatal qui apparaît en surimpression sur le fond brumeux:

FIN

King Kong III

— Monsieur le maire! Regardez le spectacle là-bas: maintenant, Broadway s'effondre sur toute sa longueur!

Du haut des jardins aériens qui couronnaient le building municipal d'une abondante chevelure verte, le fou du maire agitait les clochettes de son bracelet, désignant les édifices en train de s'écrouler au milieu du smog.

À regret, le gros seigneur noir quitta des yeux l'immense baignoire où barbotaient deux servantes blanches à demi nues. Tel un empereur hautain, il laissa tomber une banane dans un panier de fruits flottant, puis, solennellement, il tira vers lui sa toge de polyester et leva une branche afin d'observer la progression du désastre.

Depuis que les magnats du cinéma avaient perdu le contrôle du tournage, des rugissement résonnaient dans les couloirs de béton de la ville désertée. Les beaux buildings de verre s'effritaient sous les coups de Kong et des projectiles qui jamais ne l'atteignaient.

— Ils sont fous de le provoquer au combat, jugea le maire. Les soldats n'arrivent qu'à le rendre plus violent. Il faudrait plutôt utiliser la ruse.

Carl Donman, le troisième maire noir de Manhattan, jouissait d'une âme de chasseur: au lieu de voir dans le monstre une vulgaire machine déréglée, il persistait à parler de lui comme d'une vraie bête, qu'on devait traquer à la façon de véritables trappeurs.

Bien sûr, la cité décadente faisait penser à une jungle, mais l'analogie bien connue restait sans conséquence: le titan métallique n'avait à craindre aucun prédateur. À moins que...

Dans l'intention d'écraser le gorille rebelle, les ingénieurs de Kong III avaient pensé à créer un autre colosse, mieux contrôlé, et beaucoup plus puissant. Par bonheur, on avait arrêté le projet à temps. Après la victoire de King Kong IV, qui aurait pu chasser ce chasseur gigantesque, sinon un autre Kong, encore plus fort, appelant lui aussi un nouveau supersinge?

Cette fois devait être la dernière. Kong avait dépassé les bornes. Toutes les vedettes du studio avaient déguerpi sans prendre la peine d'ajuster leurs expressions d'épouvante devant les caméras abandonnées. Peu importe qu'ils aient été des admirateurs ou des adversaires du roi Kong; figurants, techniciens, badauds et policiers s'étaient vite mis d'accord pour prendre la poudre d'escampette devant le nouveau monstre mythique, érigé à coups de milliards aux dieux tout-puissants de la robotique.

À l'image du gorille qui lui avait servi de modèle, le géant possédait une telle force de caractère, et de corps, qu'il avait échappé à son scénario dès la première prise de vue. Le roi Kong, superbe de liberté, détruisait des centaines d'édifices, sans aucun trucage, mais pas un seul caméraman n'était assez courageux pour l'approcher, si ce n'est par des zooms nerveux qui la plupart du temps rataient la cible bondissante.

Comme si la charge des forces maléfiques qu'il devait personnifier lui avait fait perdre le contrôle de ses 15 629 mouvements parfaitement informatisés, Kong s'était moqué royalement des quelques personnages falots qui gravitaient autour de lui. Visant la source du mal, il s'en était pris directement aux spectateurs immédiats, dans la ville de tournage. Le mécanisme du monstre s'était emballé, des réseaux électroniques avaient sauté, des étincelles crépitaient le long de l'épais câblage de ses nerfs électrifiés, et le pitoyable Pantagruel pirouettait en pétaradant dans une forêt de gratte-ciel vidée de sa vermine bureaucratique, repoussée vers des faubourgs plus surpeuplés que jamais.

Seuls le maire, son fou et ses deux servantes aveugles étaient restés dans ce cirque. Tel un Néron spéculateur, du haut de son building blindé, Donman observait le passage retentissant du suranimal.

— Si je me souviens bien, disait-il à son fou, le premier spécimen de cette race vivait dans un paradis, situé dans une île hors du temps et des cartes géographiques. Son fils fut sacrifié sur la place publique du World Trade Center. Et le troisième rejeton du même nom, toujours un mâle, semble rechercher ce qui échappa au patriarche de 1933...

Le fou acquiesça dans un tintement de clochettes. D'ailleurs, ses tics nerveux le portaient toujours à acquiescer, et à sonner.

— Ne croyez-vous pas, Ô Monsieur mon

Maire, que cette bête vengeresse ne soit destinée à propager l'apocalypse qu'avait annoncée Kong le fils, si l'on ne respectait pas Kong le père?

— Tu confonds tout, maudit fou! C'est ce que voudraient faire croire les nouveaux prêtres, pour répandre leurs rites propitiatoires. Comme si leurs simagrées pouvaient nous attirer les bonnes grâces de ce démon!

— Mais qu'est-ce qui pourrait bien le calmer?

— Une femelle, mon cher fou. Ça doit lui manquer furieusement: si on dresse les statistiques de ses trois apparitions, eh bien, on peut conclure que les femelles sont plutôt rares chez les êtres de cette race!

Le fou du maire, qui était payé pour rire à la moindre manifestation spirituelle de son maître, éclata donc de rire. Mais le cœur n'y était pas. Le fou ne pouvait s'empêcher d'imaginer les conséquences de l'hypothèse: avec la femelle viendrait la famille, puis se propagerait une nouvelle race de titans, qui traiteraient les hommes comme des chiens pas très savants...

Déjà, sept starlettes s'étaient dévêtues pour séduire le gorille haut de dix étages, mais jamais il n'avait réagi devant les apprenties Ann Darrow, amèrement déçues, qui étaient allées se rhabiller. Toutes, elles avaient rêvé de sauver l'humanité, mais aucune n'était de taille.

— Visiblement, notre nouveau Kong cherche une femme de son calibre...

Le pauvre fou ne savait plus s'il devait rire de cette remarque; il se contenta de grimacer et de secouer ses clochettes sans conviction. Devant la menace du mastodonte, les énormes farces du maire devenaient difficiles à supporter.

Bien entendu, on avait essayé le coup classique: les hélicoptères, les réactés et même des engins téléguidés, auxquels on avait ajouté une panoplie d'armes secrètes, projecteurs psi, bombardements anesthésiants et autres gadgets tout chauds, qu'on n'avait même pas eu le temps de baptiser.

Mais Kong se montrait plus malin que jamais. Le Gulliver électronique avait saisi le toit d'un stade lilliputien pour se confectionner un bouclier, puis, utilisant un pan de pont géant, il avait abattu les avions comme des mouches. À chaque coup de pont, il fauchait des grappes d'édifices qui s'effritaient comme des strates poreuses. Désormais, il paraissait impossible d'abattre le bâtard de la robotique sans détruire la ville elle-même.

Le maire de Manhattan pensait-il pouvoir sauver sa cité? Du haut de sa terrasse, comme s'il assistait à un drame décadent, le richissime mécène se contentait de suivre l'évolution du désastre en ressassant des pensées troubles. Les Kong sont dénaturés, se disait-il; ils ont quitté la jungle pour le cinéma, puis le cinéma pour l'actualité. Il ne leur manque plus qu'une belle tragédie pour atteindre la mythologie...

Mais que mijotait donc le maire?

Il savourait à l'avance le scénario de son guet-apens.

Depuis que la ville était désertée, Donman pouvait l'utiliser à sa guise. De ses jardins suspendus, il voyait les quartiers exotiques, avec leurs arbres et leurs parcs verdoyants, comme un vaste labyrinthe, où il inviterait la bête à chercher sa belle... Il devait y diriger le monstre en tenant compte de son comportement aberrant. Car si la mécanique du troisième Kong s'était détraquée, c'est que les valeurs mythiques qu'il devait représenter l'étaient déjà.

— Voilà son point faible! s'écria-t-il tout à coup, en se martelant le cœur d'un index autoritaire.

Pour un peu, le fou aurait cru que son maître voulait prendre sa place! Il resta médusé, silencieux, comme si toutes ses clochettes avaient perdu leur grelot.

•••

Le maire en était sûr: le gros bêta devait souffrir de nostalgie.

Donman recruta une troupe d'artistes et de concepteurs environnementaux. Leur mission: décorer des avenues entières de façon à rappeler les arbres géants qui, dans les films antérieurs, bordaient le passage menant à l'autel du sacrifice.

Ensuite il engagea une bande de musiciens, chargés de jouer les partitions envoûtantes de la version originale, écrites par Max Steiner. Donman dénicha même la vieille poudrée qui avait maquillé la vedette de la seconde version. Puis il embaucha un véritable commando de sculpteurs sur béton, qu'il arma de marteaux-pilons, de projecteurs et de bidons de peinture. Enfin, pendant la nuit, tandis que le gorille ronflait dans un parc, il avait demandé des hélicoptères pour lancer le détachement d'artistes vers la Statue de la Liberté.

La population repliée dans les banlieues débordantes n'y comprenait plus rien. Un monstre menaçait New York Country, et voilà que le maire de Manhattan s'intéressait tout à coup à cette vieille statue grisâtre, désaffectée, tout juste bonne à abriter des pigeons. Heureusement pour les citoyens blottis dans les villes avoisinantes, le roi Kong restreignait ses courses à l'intérieur de Manhattan. Comme s'il y cherchait quelqu'un de sa race...

Durant le sommeil agité du colosse, les sculpteurs et les maquilleurs avaient martelé et pomponné sans répit la statue gigantesque, au risque de la voir s'écrouler sous l'assaut de leurs soins intensifs. Soutenus par des hélicoptères bourdonnants, les uns lui dévoilaient une épaule arrondie ou lui amincissaient la taille, tandis que les autres, sans ménager leur fusil à peinturer, maquillaient ses traits rongés par les intempéries. On dut utiliser une tonne de talc pour saupoudrer ses joues ravagées.

Aux petites heures du matin, quelques centaines de modélistes soulignaient un galbe par-ci, rehaussaient une courbe par-là, tandis que le gros de la troupe s'affairait à ciseler deux jambes fines, jaillissant dangereusement de sous la mini-jupe orange, fraîchement cisaillée dans la masse de pierre. Pendant ce temps, des soldats achevaient l'installation d'un dispositif télécommandé, logé au cœur de la statue, sous les deux collines de sa poitrine.

Quand l'aube commença à rosir les dessous du smog à l'horizon de l'Atlantique, les peintres avaient fini d'appliquer un beau bronzage doré. Sur un signal du maire, qui surveillait la scène avec ses jumelles de stade, on brancha les puissants haut-parleurs dissimulés à l'intérieur du mannequin démesuré.

Le gros singe se réveilla en sursaut, visiblement bouleversé par une voix douce, mais excessivement amplifiée. On aurait dit l'appel d'une sirène, venant de la mer.

Aussitôt, il courut au centre de Manhattan pour grimper au faîte de l'Intergalactic Building Market. À bout de force, il dirigea un regard étonné vers l'endroit d'où venait la voix féminine, puis il se frotta les yeux pour s'assurer qu'il ne rêvait pas. Aucun doute, c'était bien elle, il reconnaissait la silhouette de la belle naïade qui flottait sur la mer: Linda Lovelace!

Par magie, la starlette avait atteint une taille de mégastar!

•••

Saisi par l'apparition fantastique, puis troublé par le désir sans bornes qui avait pris naissance dans sa programmation détraquée, le gros pantin n'y vit que du feu.

Le géant en perdit ses moyens. Il faillit se rompre l'échine en dégringolant de l'Intergalactic, léger comme l'amour, vif comme un coup de foudre.

Puis il retrouva ses esprits, et les reperdit aussitôt, au milieu d'un étonnant simulacre de jungle. Envoûté par la musique de Steiner, cerné par le corridor de décors exotiques, Kong courut tout droit vers la voix aérienne de Linda.

L'avenue verdoyante déboucha bientôt sur la mer, et le singe aussi, qui pataugea sans hésitation au milieu des vagues visqueuses.

Au moment où il enlaça l'énorme starlette pétrifiée, et chargée d'explosifs, un signal télécommandé déclencha la mise à feu.

L'espace d'une seconde, Kong crut que le coup de foudre le faisait défaillir. Puis il s'aperçut que sa belle lui glissait entre les doigts, comme un tas de poussière.

Le roi rebelle, déchiré par la douleur et l'imposture, lança un hurlement qui fit frémir les spectateurs. La poitrine transpercée d'éclats de pierres colorées, l'ossature démantibulée trouant sa fourrure synthétique, il essaya de redonner forme au monticule de pierres qu'il arrachait de l'eau. Mais ses membres s'agitaient par soubresauts et l'huile lui pissait du nez.

Après un dernier effort pathétique, ses yeux de marionnette perdirent tout éclat, puis il s'écroula lentement, en silence, et sa masse informe, crépitante, disparut à demi sous la surface des eaux.

Tandis qu'il rendait l'âme aux dieux de l'électronique, une clameur de klaxons monta des banlieues.

Durant toute la journée, la population hésitante reflua vers le cœur de New York Country, pour contempler les débris de pierres et de fer qui restaient en témoignage du tragique rendez-vous.

Les premiers quotidiens à circuler dans Manhattan publièrent tous la photo du maire, bras croisés et jambes écartées, les bottes posées sur un îlot de poils, devant la toile de fond morne et brumeuse des buildings new-yorkais.

Tandis que les citadins fêtaient avec fracas dans les rues et les parcs où le roi Kong avait posé les mains, des remorqueurs et des grues flottantes déblayèrent la baie du cadavre tordu qui obstruait le passage des premiers cargos à revenir au port.

Désormais, il ne restait plus aucune trace de Kong, ni de la Liberté.

Julie Joyal appelle les étoiles

C'est une idée du psy de Mam: «Si tu écris aux étoiles, un jour elles te répondront.» Et on le paie pour ce genre de conseils!

Comme on vit ensemble, Mam et moi, son psy est devenu un peu le mien. Je suppose que j'ai un petit rôle dans les problèmes de Mam. Quand la mère est B.O. (comme *burn-out*), la fille doit faire son examen de conscience.

On parvient vraiment à vivre ensemble, maintenant. Au moins deux ou trois heures par jour, ou par soir, entre le repas et les leçons, la télé et les téléphones. Mais Mam traîne ses pantoufles d'un sofa à l'autre. Son corps, hier si énergique, n'est plus qu'une longue entité maigrichonne, blottie comme un insecte dans les replis terreux du sofa-patate. Elle hiverne, son esprit engourdi vagabonde, elle ne sait trop où. Peut-être au milieu des étoiles?

Auparavant, Mam travaillait beaucoup, et elle était toujours fatiguée. Aujourd'hui, elle ne travaille plus du tout, mais pour ce qui est de la fatigue... Le psy dit qu'il faut compter sur le temps. Pourtant, depuis son congé de maladie, Mam a tout son temps pour penser à elle, et un peu à moi. Jusqu'où faut-il donc compter?

Finalement, le psy s'est confié:

— Ta mère connaît un grand tournant dans sa vie.

Facile à dire: ça tourne toujours dans sa vie! J'ai l'impression qu'elle est née dans un tournant. Même quand l'épuisement réussit à l'arrêter, ça continue de tourbillonner dans sa tête.

La première fois que j'ai vu le psy, je l'ai pris pour un autre collègue de Mam, petit monsieur poli, sans odeur et sans saveur. Clément Lavoix, l'incarnation même du fonctionnaire à moustache, sérieux, propret, parfait, complet veston petit bedon, voix grisonnante et tempes feutrées, sorti tout droit d'une vieille reprise de téléromans des années 90.

Un peu plus et je fermais la télé!

Au début, je le haïssais: je le tenais pour responsable de la maladie de maman. Quand ma pauvre Madeleine revenait du cabinet de consultation, elle restait sans force et sans voix, rompue, en plein désarroi. Même ses cheveux roux paraissaient ternes, et sa fameuse mèche rebelle pendait comme un oiseau abattu, accroché par une aile à son nid tout chiffonné.

Un jour, elle a réussi à m'expliquer: Clément était plutôt à l'origine de son congé de maladie. Grâce à lui, je pourrais redécouvrir la vraie Mado. Alors, un bon samedi matin, après avoir paressé dans la baignoire, j'ai cessé tout mollement de le détester. Mais il ne faut pas trop m'en demander.

Hier, exceptionnellement, Clément est venu nous rencontrer à la maison. Petit scénario pour me coincer, bien sûr. Donc je faisais semblant d'être plongée dans la lune, de peur qu'il me tienne responsable des problèmes de Mam.

J'étais en train de bâiller avec application, et tout à coup, bang! les paroles de Clément m'ont touchée en plein cœur:

— Tu dois t'attendre à une révolution dans ta vie, disait-il d'une voix légèrement crispée. Ta mère éprouvera un grand bouleversement, ce qui va t'amener à changer, toi aussi. Julie, tu peux faire beaucoup pour améliorer la situation...

Je ne connaissais pas encore le problème que déjà Maître Clément avait la solution! Lavoix, la Vérité, la Vitesse! Mais il y avait un hic: c'est moi qui devais appliquer la méthode miraculeuse.

— Comment? ai-je lancé à brûle-pourpoint, comme dérangée par un moustique.

— En te découvrant telle que tu es.

— Impossible: je change continuellement d'humeur!

— Tu n'aimerais pas connaître la vraie Julie Joyal, celle qui se cache derrière ces sautes d'humeur?

— Comment? ai-je répété, pour gagner un peu de temps. Car j'avais peur de la vraie Julie Joyal. Peur de la rencontrer.

— En te confiant à une grande amie, par exemple.

— Mes amies sont toujours d'accord avec moi: elles disent toutes que j'ai des sautes d'humeur. (Sinon, elles ne sont plus mes amies!)

— Il y a une amie que tu connais mal, sur qui tu peux compter.

J'ai haussé les épaules: qui était donc ce psy pour me conseiller une amie? Il était légèrement tendu, ses grands yeux noirs ruisselaient de générosité, il aurait tant aimé que je me laisse aimer. Finalement, la curiosité l'a emporté.

— De quelle amie veux-tu parler? ai-je demandé, comme pour alimenter une conversation ennuyeuse.

— De toi, dit-il, avec un sourire qui n'en était pas un. Tu pourrais t'écrire à toi-même, pour te dire comment tu vois ta situation.

— Écrire à Julie Joyal! Et je suppose que je devrai aussi lui répondre?

Bref, je n'aimais pas du tout l'idée d'écrire. Ça ressemblait trop à un devoir supplémentaire. Un travail qu'en plus je devrais évaluer moi-même!

— Si tu n'as pas confiance en toi, ni à tes amies, tu devrais te confier à quelqu'un d'autre, à un inconnu, un étranger qui vit ailleurs (dans son hésitation, il faisait de grands gestes vers le plafond), très loin d'ici, dans une autre sphère, sur une autre planète! oui! parmi les étoiles!

Il s'excitait, vraiment, il en était tout rouge de brasser l'air avec ses grands bras, comme pour me catapulter vers les étoiles.

— Je ne connais personne là-haut. Et mon prof de géo dit qu'il n'y a personne dans l'espace. C'est pas vivable.

— Peu importe: en décrivant sa situation à un parfait inconnu, on n'a pas envie de raconter d'histoires. On se décrit sans détour, et alors on finit par se connaître.

— Ça veut dire que les étoiles me répondront?

Il hésita un moment, plissa les yeux, soupesant la responsabilité de ses toutes nouvelles fonctions d'ambassadeur des étoiles, puis, la voix grave:

— Si tu parles avec justesse, tu auras ta réponse.

● ● ●

— Allô, les étoiles! Ici Julie Joyal, sur la Terre. La planète bleue, vous ne la voyez pas?...

— ...

(Peut-être pas. Après tout, par les temps qui courent, elle doit être sûrement grise.)

— Dans le système solaire, c'est la seule à envoyer des appels; vous avez sûrement entendu parler de nous...

— ...

(Décidément, la communication mentale, ça ne fait pas vibrer les étoiles. Pourquoi donc le psy me pousse-t-il à prendre note de tous ces silences? Je continue seule-

71

ment pour lui montrer que ça ne fonctionne pas, son truc psycho-sidéral!)

— M'entendez-vous, les étoiles? Répondez-moi, sinon je vais finir par douter de votre existence...

— ...

— Ou de la mienne...

J'étais pourtant dans ma période gentille, je débordais de bonnes intentions, j'arrivais même à passer à l'action: pour faire plaisir à Mado à travers son psy, je lançais beaucoup d'appels dans l'espace.

Mais les étoiles n'en profitaient pas.

J'ai eu beau expliquer que je vivais dans une grande ville, au cinquième étage d'un immeuble nommé Aladin, près d'un parc protégé par un grillage électrique. Les ondes étaient sûrement saturées d'appels au secours.

Puis, à force de me parler toute seule, j'ai fini par deviner la réponse des étoiles:

— *Commence donc par poser une question, si tu attends une réponse!*

Mais est-ce que je la voulais vraiment, cette réponse qui m'obligerait à changer mes changements?

Trop tard, je suis maintenant dans ma période agressive. J'en ai assez de parler à des choses qui brillent et ne répondent jamais.

···

— Salut, les étoiles.

— ...

— C'est vous qui avez laissé un message au répondeur automatique?

— ...

— Ah, je croyais...

— ...!

— Vous ne me voyez peut-être pas très bien (moi non plus d'ailleurs, surtout que nous sommes en plein jour), mais je sais que vous percevez mon appel. Un jour, vous en aurez assez et vous finirez bien par répliquer.

— ...

— Ici Julie Joyal, devant le clavier de son ordinateur, en plein exercice psycho-mental. Je suis fascinée par l'apparition de mes pensées sur l'écran, je pars pour les étoiles, c'est le plaisir total.

...

Je vais essayer avec mon psychogiciel, sans doute comprenez-vous mieux ce langage. Aujourd'hui, il faut absolument des ordinateurs pour mettre de l'ordre dans ses idées. Sans eux, l'être humain pourrait-il obtenir un diplôme? Allez, Logotec, rends-moi intelligente!

— LOGOTEC — ENTRÉES

1. **Déterminez la nature de votre sujet:**
❏ **Actualités**
❏ **Adresses des copines du camp d'été**
❏ **Fourre-tout**
❏ **Personnel**
❏ **Holo-clips**

Excusez-moi, il faudrait d'abord que je mette de l'ordre dans ces foutus fichiers. Aussi bien balancer tout de suite les **Adresses des copines du camp d'été** à la poubelle. (Excusez-moi, les filles, mais ce camp était moche. D'ailleurs, c'était l'année passée. Je n'en savais pas assez sur les garçons.) Et maintenant, cher Logotec, donne-moi à bouffer du **Personnel:**

— PERSONNEL
❏ **Agenda (intermittent)**
❏ **Dates mémorables (qu'on oublie)**
❏ **Ici on se défoule**
❏ **Réflexions (profondes)**
❏ **Solutions, résolutions et rerésolutions**

Sans réfléchir, je sélectionne **Réflexions (profondes)** (ou non). N'ayez pas peur de ce titre, gens des étoiles, je suis plutôt ironique avec moi-même. Ça veut dire, je crois, que je ne m'aime pas beaucoup, mais je ne m'en veux pas trop: je finis par m'accepter, en faisant passer la pilule avec un peu d'humour. En fait, sous ce titre saugrenu, se cachent les grandes questions de la petite Julie Joyal. Dites-moi que ça vous intéresse, les étoiles.

— LES GRANDES QUESTIONS DE JULIE JOYAL

☐ **Comment structurer son temps sans le perdre**

☐ **Innommable et autres choses**

☐ **Problèmes de sexe (déjà)**

☐ **Relations familiales**

☐ **Sur le thème de «Julie, tu peux faire mieux.»**

☐ **Suite: «Et quoi encore?»**

☐ **La vérité selon... (toute sorte de monde)**

Clément avait raison: quand on a des visiteurs venant des étoiles, on ne leur raconte pas des **vérités selon toute sorte de monde**. Non mais quels titres ridicules! J'ai honte, vraiment, de découvrir le cœur de mon ordinateur à des entités naviguant dans les hautes sphères... Au fait, les étoiles, est-ce que vous connaissez la guerre et la pollution? Parce que si c'est le cas je ne vois pas...

Bon, très bien, puisque vous vous intéressez à moi, je vais choisir le seul titre que j'ai oublié de caricaturer. Ce qui ne saurait tarder! (Excusez-moi, amis des étoiles: c'est plus fort que moi!)

❑ **Relations familiales**
  [titre effacé- changé pour:]
❑ **Relations avec papa imaginaire et maman B.O.**
  [ouvrir]

❑ **Mam, quand tu n'es pas là**
❑ **Papa (ou la vie avant la vie)**
❑ **Procédures pour identifier le géniteur**
❑ **Mon père, c'est la science**
❑ **La victime du B.O. (Mam) et son entourage (moi)**

Je me demande pourquoi j'ai choisi **Papa (ou la vie avant la vie)**. Pourtant, je le savais bien: ce document est vide. Comment pourrait-il en être autrement? Il n'y a rien à dire sur un papa dont on ne peut rien savoir.

Ne vous forcez pas trop, les étoiles!

•••

Mam était une super-woman. Elle occupait une super-profession dans une super-compagnie où elle était super-occupée. Pas étonnant qu'elle soit super-épuisée.

Mais elle devra s'y faire: jamais elle ne connaîtra une super-Julie.

Madeleine, c'est ma mère, c'est ma sœur, c'est mon amie, c'est ma piste d'atterrissage, mon histoire d'amour tenace, ma bouée de sauvetage... en train de couler dans la mer des émotions troubles. Trop de rôles pour une seule et unique Maman, même pour Super-Mado. Malgré toutes ses bonnes intentions, elle éprouve beaucoup de difficultés quand elle voudrait jouer aussi le rôle de mon père.

Mado est mince, énergique, fébrile, elle a des flammes dans sa tignasse rousse, ses points de rousseur scintillent sur ses joues en feu... du moins quand elle n'est pas à plat. Ça lui arrive pour la première fois, d'ailleurs, cette crevaison; elle n'y était pas du tout préparée, ça l'a jetée à terre. Mais elle s'accroche à ses principes, ses goûts très précis, tranchants comme des vérités. Ma Madeleine à moi, elle aime les gens impeccables, les paroles justes, le travail irréprochable, et les toutes petites choses très ouvragées, quand elles sont travaillées à la main et qu'elles coûtent très cher.

Pour sûr, elle voulait un enfant parfait. Un bibelot savant. Elle désirait un prince, et elle a eu une petite crapaude. Qu'elle aime beaucoup. Malgré tout. C'est bien assez.

Vous devez sûrement vous poser une sérieuse question, les étoiles: comment une femme soi-disant parfaite peut-elle avoir un enfant sans l'apport d'un père?

C'est la faute à la science. On ne conserve que l'essentiel du père: sa semence. On arrive également à vivre sans la présence de la mère et bientôt, au train où vont les choses, on parviendra bien à se passer des enfants. Pendant quelque temps...

Mon père, c'est l'insémination artificielle. La recette est simple: vous introduisez la semence d'un homme dans le ventre de la mère supporteuse, vous laissez chauffer à feu doux et, neuf mois plus tard, si l'embryon n'a pas collé au fond, le bébé est cuit comme un œuf.

— Quelle est donc cette mystérieuse semence, demanderiez-vous si vous n'étiez pas si pures, si poétiques, comme d'innocents diamants en suspension dans l'infini.

— La meilleure, bien sûr, vous connaissez ma mère. Mais vous n'en saurez pas plus. J'ai essayé maintes et maintes fois de lui tirer les vers du nez, et voici à peu près ce que ça donne (ou ne donne pas):

— Julie, je te l'ai dit cent fois: j'ai choisi pour toi le père idéal. Que veux-tu de plus?

— Rencontrer le père idéal.

— Un père idéal est sans histoire. Un type aux facultés intellectuelles et aux qualités physiques exceptionnelles. Pour le reste...

— Un type ne peut pas être un vrai père. S'il est si extraordinaire, pourquoi se cache-t-il comme un pauvre type?

— Il ne se dissimule pas, Julie; il ignore qu'il est ton père.

— S'il n'est pas caché, on peut donc le trouver?

— Oublie ça, Julie: c'est légalement et scientifiquement impossible.

— La loi et la science ne permettent pas à une fille de retrouver son père? Alors la loi n'est pas scientifique et la science n'est pas légale et moi j'aime mieux un père connu et imparfait qu'un père parfait et inconnu, turlu-tu-tu poil-au-pointu!

— Les pères imparfaits, on ne les voit pas souvent à la maison; ils deviennent bien vite invisibles, inconnus.

— Sûrement pas autant que mon prétendu parfait de père!

— Ton père n'a qu'un seul défaut, Julie, celui d'être un homme. D'ailleurs, comment un homme parfait pourrait-il vivre avec une femme parfaite quand tous les deux ont des goûts, des visions et des buts différents?

Son opinion est faite, très faite: elle déteste le mari qu'elle n'a jamais eu. Il faut comprendre, chères étoiles: Mam m'a mise au monde à une époque où les hommes étaient remis en question. Il y avait tout plein de pères qui quittaient le foyer et abandonnaient leurs enfants. Alors Mam a voulu régler ce problème dès le départ: mon père est disparu avant même de participer à ma conception, par éprouvette interposée.

— Un père parfait, on ne devrait pas le cacher...

— Il ne peut pas être parfait s'il ne se cache pas!... Il est tellement en demande, c'est-à-dire sa semence est tellement recherchée qu'il a sans doute des dizaines sinon des centaines d'enfants. Il ne pourrait pas suffire à la tâche.

— La perfection n'existe pas, Mam. Je croyais que Clément te l'avait fait comprendre: tu n'es pas parfaite, tu as le droit d'être épuisée comme tout le monde, et j'ai le droit de rencontrer mon père. Il est sans doute épuisé, lui aussi, après tous ces enfants.

— Tu te trompes, Julie: la loi ne permet pas de connaître les pères génétiques. Il faut les protéger: imagine un peu que des centaines d'enfants réclament de l'affection, une

salle de jeux et des cadeaux à leur père génétique!

— Tu te trompes, toi aussi: mon père
n'est pas un donneur de sperme; sa semence,
il la vendait, il en vivait! Combien ça coûte,
un père? Quand je serai grande, je m'en achè-
terai un, deux, trois s'il le faut! Oui! j'aurai
une grande famille, avec des tas de pères!

— Julie, je te croyais raisonnable! Tu me
bombardes toujours de tes questions quand je
suis super-occupée!

Elle se lève comme un ressort, secoue sa
crinière pour raviver la flamme, puis elle se
met à déplacer des bibelots, ici, là, non,
plutôt ici, ou peut-être là?

On dirait un boxeur groggy. Je me rappelle tout à coup qu'elle est B.O. Pauvre petite Mado, je voudrais tellement te prendre
dans mes bras.

Mais tu bouges tout le temps! Une bête
en cage...

— Tu es toujours super-occupée! Quand
tu n'es pas préoccupée. Mais quand est-ce
que...

— Je m'occupe de toi pour deux, ma belle
Julie. Sois patiente: bientôt on modifiera la
loi qui protège l'anonymat des pères génétiques.

Et voilà le tableau: un père parfait inconnu, une super-mère revitaminisée, et ça donne une enfant bourrée d'inquiétudes. Vous voyez, les étoiles: personne sur Terre ne peut répondre à mes questions. Et là-haut, ça répond parfois?...

•••

Voici maintenant mon amie Olga. Ronde, rose, blonde, tout à fait méconnaissable!

Elle qui d'habitude promène un teint pâle, des vêtements ternes et des cheveux fadasses, tel un fantôme timide au milieu des couleurs criardes bondissant dans la cour de récré, elle arbore maintenant de magnifiques joues dodues comme le bonheur.

Ses cheveux se dressent dans une audacieuse crête dorée, ses souliers à air comprimé lui donnent une démarche chaloupée, plutôt incertaine, et, ultime bravoure, pour la première fois, Miss Olga porte une robe!

On dirait un ange, après un atterrissage en rase-mottes!

— Je me prépare pour la venue de papa, s'empresse-t-elle d'expliquer devant ma mine de parfaite ahurie.

Olga et moi, on a un secret. Je peux bien le dire à vous, les étoiles, je peux compter sur votre silence... Olga et moi, on dit qu'on est deux sœurs. En fait, des demi-sœurs. Olga aussi a un super-papa anonyme, introuvable et pas facilement imaginable. Un sorte de papa très rare. Alors on s'est dit qu'il s'agissait sûrement du même papa.

— Ça y est! continue-t-elle, voyant bien que je n'arrive pas à poser la question qui s'impose. Maman a retrouvé la piste de papa. Elle vient d'entreprendre toutes les démarches nécessaires pour entrer en contact avec lui.

Je n'y crois pas. La vie est injuste! Pourquoi elle?

— Déjà? Je suppose qu'il n'était pas très loin.

Le ton de la remarque se veut détaché, autant que l'ironie doit être mordante. Mais Julie ne s'aperçoit de rien. À grande dose, le bonheur, c'est comme l'alcool: ça insensibilise. Elle qui n'avait pas souri depuis un an, elle en a sans doute pour l'année à afficher cette grimace profondément incrustée.

— Ma mère n'a pas attendu l'acceptation officielle de la nouvelle loi: dès que le projet de loi a été annoncé, elle a entrepris toutes les recherches nécessaires.

— La mienne était trop occupée... Maintenant, elle est forcée de se reposer: ça ne devrait pas tarder.

Je devrais sans doute vous expliquer,

amies étoiles: j'imagine que vous ne captez pas la télé terrestre. Il s'agit d'une loi pour permettre aux enfants de l'insémination de connaître leur père génétique. Il y a eu une drôle d'histoire à l'origine de cette loi: un jour, un employé d'une compagnie distributrice de super-sperme a découvert dans les fichiers secrets de son bureau que lui et son épouse, tous deux issus d'une insémination artificielle, partageaient le même père génétique. Imaginez l'embarras de leurs trois enfants...

— Il faut être patiente, les procédures sont très compliquées, les papas parfaits sont plutôt secrets, m'explique Olga, répétant sans doute des phrases de sa mère.

Et toujours ce sourire gaga, comme si le papa était pour demain. Maintenant, c'est sûrement moi qui ai l'air pâle. Peut-être devrais-je emprunter les vêtements incolores d'Olga.

— D'après les reportages à la télé, les compagnies de sperme ignorent tout de leurs fournisseurs, même leurs noms: elles utilisent des numéros matricules pour les désigner.

— Mais ces compagnies ont des descriptions très détaillées de leurs aptitudes intellectuelles et de leurs caractéristiques biologiques. En comparant tous ces fichiers à des données médicales ou sociales, on peut retrouver les donneurs de sperme. C'est une question de temps: il faut fouiller des banques de données pas toujours facilement accessibles, parfois même soigneusement oubliées.

— On dirait une enquête policière! Les donneurs de sperme seraient-ils donc des criminels? S'il est illégal d'enlever la vie, est-il toujours légal de la donner?

— Dis donc, Julie, tu veux vraiment le connaître, ton père?

— Je ne sais plus... J'ai trop d'imagination, il risque de me décevoir.

— Et toi qui me disais avoir un père parfait!

— C'est ça le problème. Ma mère était presque parfaite, et ça l'a rendue malade.

— De toute façon, tu le connaîtras bien assez tôt.

— ...?

— Ben quoi! t'as déjà oublié? On s'est toujours dit qu'on avait le même père!

Et voilà, c'est plus fort que moi, je souris à nouveau. Mais à quoi bon, la récré est déjà terminée.

•••

Ça y est, déjà, comme à la loto! Olga a trouvé son père.

Pas moi. Donc nous n'avons pas le même père. Donc nous ne sommes pas des demi-sœurs. Pas même des quarts de sœurs!

Cette cour de récré est vraiment trop petite, impossible d'éviter Olga. Je lui parle encore. Ou plutôt, je l'écoute, d'une oreille.

Un père parfait a toutes les qualités, Olga croit qu'elle en a hérité, c'est l'Hamour avec un grand H. Que dire de plus, sinon que le bonheur est sans histoire? Ce qui n'empêche pas Olga de me raconter en long et en large ses randonnées avec son père.

Il me donne l'impression de venir à la maison uniquement pour sortir Olga, sans sa mère. Si elle a gagné un père, elle est sur le point de perdre sa mère... Et s'il est si parfait, pourquoi voit-il Olga si peu souvent? D'accord, il est pilote d'un avionef pour l'Armée de la Paix, tel qu'Olga l'a toujours imaginé; il doit donc s'absenter pendant de longues périodes. Et ces absences ne manquent sûrement pas de troubler l'imagination d'Olga...

À l'écouter, Monsieur Papa est jeune, beau, sympathique, affectueux, il est de la race des héros, il ne peut pas rester longtemps sur Terre, il doit planer dans l'apesanteur, tout là-haut, dans son avionef chromé.

Il n'atterrit que pour Olga.

Sans elle, il irait se perdre aux confins de la galaxie! Mais il craint de s'attarder sur la Terre, cette planète si corrompue. Un jour il amènera Olga dans la stratosphère.

Un vrai vidéo d'amour! Son père est trop parfait papa pour être vrai. Heureusement, il s'appelle Ernest, mais il n'a pas d'autres défauts.

La perfection, c'est ce qui reste quand on ne fait pas de gaffes, pas de drames, pas de sautes d'humeur. Une vie de robot! Sûrement ennuyeux à mourir! Mais je me retiens d'en parler à Olga, au cas où un jour mon parfait de père apparaîtrait dans le décor.

Le mien aussi doit vivre là-haut, plus haut encore, près de ces étoiles qui ne répondent toujours pas. Comme il est toujours absent, je l'imagine à ma façon, tel un astronaute charmant, prince des étoiles, régnant sur une base spatiale qui jamais ne descendra sur Terre. Je peux même l'imaginer plus parfait que le père parfait d'Olga, et je suis sûre de ne jamais être déçue. Ni satisfaite.

Il surveille sans relâche ses ordinateurs de contrôle; il ne manque rien, effectue les calculs sans la moindre erreur, appuie toujours sur le bon bouton. Ne lui dites rien, chères étoiles: il pourrait s'inquiéter, commettre une bévue, et faire tomber sa base spatiale sur la Terre.

Qu'il reste donc là-haut, avec ses amis les robots!

•••

Je ne la reconnais plus. On dirait qu'elle s'est tatoué ce sourire indélébile dans le portrait. Dis donc, Olga, qu'est-ce qu'on t'a injecté: un père ou un euphorisant? Si tu continues à te triturer le rictus, tu vas finir par t'estropier! Je vois déjà la manchette au vidéojournal:

Olga Salamov, victime d'une overdose de bonheur. Fille d'une immigrante russe, habituée à un régime de vie austère, la jeune Olga n'était pas prête pour une telle charge de bonheur.

Ne croyez pas que je sois envieuse; non, je veille sur mon amie. Si elle n'était pas plongée dans le bonheur jusqu'aux oreilles, je lui dirais: réveille-toi, Olga, ton Ernestgumène vient te voir uniquement pour le show, pour le choc, pour le chocolat. Même à la télé, on n'en voit pas d'aussi suaves. Attention, Olga, ce vidéo d'amour est tout gluant de sentiments, ton papa gâteau va te fondre entre les doigts!

Rien à faire, Olga en est secrètement

amoureuse, elle rêve même de l'épouser. Et pourquoi pas? Puisque son fabuleux papa n'a pas encore trente ans.

À ce compte-là, il a dû commencer à distribuer son sperme dès les premières gouttes. À raison de cent dollars le centilitre, il a sûrement accumulé une petite fortune, et une énorme famille... Je me retiens de mentionner à Olga qu'il a dû semer cinq cent vingt-deux mille enfants en quête de leur polypapa. Bientôt, on va se l'arracher.

Tes beaux jours sont comptés, Olga: tu n'es que la première en haut de la liste. Demain, tu seras une goutte dans un océan de sperme.

J'étais plongée dans les eaux troubles de ces fantasmatozoïdes quand Madeleine a attiré mon attention vers la télé. Le vidéojournal présentait un événement inusité. Une première: une histoire de base spatiale mystérieusement descendue sur terre...

Un détournement? Des OVNI? L'insoutenable pesanteur de la solitude spatiale? Une défectuosité?

Pas le moindrement: ces bases sont réputées pour leur super-sécurité, elles sont dirigées par des spécialistes et des ordinateurs infaillibles. Mais la perfection, à la longue, ça finit par ennuyer. Le chef de la base en avait assez de jouer aux cartes avec ses ordinateurs. Toujours des parties nulles...

Le pilote avait envie de faire des erreurs, il voulait simplement rompre la monotonie, connaître des palpitations, renouer avec cette bonne vieille humanité hésitante, tâtonnante, et tellement excitante. Alors il a trafiqué son ordinateur pour pouvoir enfin gagner aux cartes, ou perdre, peu importe, et c'est là que la base spatiale a commencé à perdre de l'altitude.

Déjà, sur Terre, on l'accueille comme un super-héros, un être plus-que-parfaitement humain, préférant les erreurs de ses semblables à la froide infaillibilité des robots spatiaux. Ses supérieurs n'osent pas l'accuser en public, tant de gens s'identifient à lui. Ses patrons auraient l'impression de punir toute l'humanité pour son imperfection.

Papa! me dis-je en moi-même, avec suffisamment d'intensité pour que Madeleine comprenne. Elle me retourne mon sourire complice; nous sommes ravies toutes les deux, et parfaitement confiantes.

●●●

Merci, amies étoiles. Je savais bien que vous seriez fatiguées d'écouter mes plaintes et qu'un jour vous me décrocheriez mon parfait papa du ciel pour me l'envoyer sur Terre. Seulement, vous y êtes allées un peu raide: il n'était pas nécessaire d'expédier la base spatiale avec le papa.

On n'a pas osé arrêter le pilote de la base spatiale: c'est un héros, un demi-dieu devenu demi-humain. Il n'est sûrement pas parfait, alors. Sans doute a-t-il compris qu'on ne pouvait pas vivre heureux de cette façon: la supervision informatisée, les grands espaces infinis, même l'apesanteur, ça finit par peser lourd.

— Viens me voir, mon petit papa. Tu es tombé de haut, mais tu n'es pas rendu si bas: tu es à ma hauteur. Mam aussi a connu une dégringolade, son bureau était au trente-deuxième étage, et elle est tombée B.O. Mais elle se relève. N'aie pas peur, elle n'est pas parfaite, et moi non plus, loin de là. Ta semence, elle a complètement foiré! Mais, à trois, on peut faire une fameuse équipe.

Je ne sais pas qui a fait le relais, Logotec, les étoiles, ou l'avocat engagé par Madeleine. Je ne sais pas non plus s'il y a un rapport avec cette curieuse histoire de base spatiale tombée sur Terre. Chose certaine, on a retrouvé la piste de papa. Pour le moment, il s'appelle Patrice 612-PVVI. Sans doute pour «Papa Volant en Voie d'Identification».

Pourtant, tous les documents relatifs aux fournisseurs de ma banque de sperme devaient être détruits... Heureusement l'avocat de maman a trouvé une piste en établissant des corrélations complexes entre plusieurs banques de données connexes. L'avocat s'est même payé une blague:

— L'affaire est dans la banque! a-t-il lancé en nous apprenant la bonne nouvelle.

L'avocat pouvait bien se réjouir: il a dû coûter à ma mère cent fois plus cher que le géniteur retrouvé!

•••

C'est l'heure. Mon cher papa est là, dans le salon, en chair et en os, assis bien sagement près du système de son, comme un astronaute planant au milieu des grands espaces polyphoniques. Il est vraiment beau comme un dieu. On dirait une statue plus grande que nature, mais ça respire, et si je parviens à m'asseoir près de lui, je vais entendre son cœur battre, de plus en plus fort, à cause de moi.

L'heure de papa. Soixante minutes de plaisir paternel. Car il est très occupé, le papa, depuis qu'il est redescendu sur Terre: il doit rendre compte à tout un chacun des fruits de son exploration spatiale. Nous reste une petite heure bien tassée; après des années et des années d'attente, c'est trop peu, mais ça suffit pour me lancer en orbite.

Clément s'en est mêlé. Il m'a conseillé de prendre le papa à petites doses, pour ne pas capoter. Cher Clément, parfait petit mesureur de sentiments! Il me fait rager, mais il a raison: chaque fois, je dois prendre de grandes respirations, rien que pour me rendre au salon. C'est comme si j'étais lancée dans la stratosphère; tout va si vite, et pourtant l'orbite d'approche se déroule au ralenti, je vais me perdre dans le tapis, je fonds d'admiration devant la merveilleuse base spatiale qui chatoie innocemment à l'autre bout du salon, le vide des grands espaces va m'avaler, pour mon plus grand bonheur.

Lui, si calme, si paisible, si... parfait, comme une oasis de paix, sur laquelle la tornade Julie va s'abattre. Parfois je m'en veux d'être aussi détatrac, au moment où je devrais retrouver la béatitude originelle. Moi, pendant si longtemps en manque de papa, sur le point de chavirer quand je devrais me contenter! Mais comment donc un tel parfait papa a-t-il pu donner un résultat comme moi?

J'en suis à me demander si Mam a eu droit aux meilleures gouttes... Où donc la recette parfaite a-t-elle failli? Sûrement pas dans les organes impeccables de Monsieur Papa. Ni dans le ventre perfectionniste de ma Super-Mam. Alors, après?

Donc, tout n'est pas fini, il est toujours temps de corriger le tir! Patrice saura-t-il découvrir la nouvelle Super-Julie? Celle qui dort sous la carapace de cette douteuse de Julie, qui n'a confiance qu'aux étoiles, et encore, seulement parce qu'elles ne répliquent pas.

... Mais comment pourrais-je devenir la fille de cet étranger? Il est là, sans bouger, je voudrais le serrer dans mes bras... si je pouvais lui parler! Même dans mes pensées, je suis toujours tentée de le vouvoyer. Comme Clément.

D'ailleurs, on dirait un psy, en plus relaxe. Se confie jamais, veut toujours que je parle de moi. Ses silences me questionnent... J'en demeure bouche bée.

Ça y est, il m'a aperçue, il me voit en train de triturer ce rideau comme une belle idiote, et il ne bronche même pas, il sourit, il va s'informer de mes cours, il voudra tout savoir sur l'école, mes amis, et sur notre merveilleuse cour de récréation. Il va attacher autant d'importance à mes petites âneries qu'il en voyait dans son travail parmi les étoiles, sur cette base spatiale dont il refuse toujours de parler. Il s'inquiète de mes résultats en maths, il s'intéresse vraiment à mes problèmes d'ensemble, je n'ose à peine y croire, moi qui n'ai jamais obtenu plus de 70 % à un examen, et lui, si parfait, papa à 100 %.

Patrice m'enveloppe de sa bonté. Mon petit monde vacille. Je voudrais contester, dire que tout cela est irréel, qu'on ne peut pas capoter devant un étranger portant le nom de papa. Mais je perds tous mes moyens, je n'ose pas chagriner cet ange descendu du ciel. Pas encore...

Car il me tend les bras, il rayonne de bonheur, et je fonce sur lui comme un rayon laser! Papa, comme ça fait du bien de survoler mes petites misères, d'être enfin quelqu'un à 100 % aux yeux d'une personne aimée. Papa, est-il vraiment possible que tu aies quitté les étoiles pour me retrouver?

●●●

Excusez-moi, chères étoiles, si je vous ai négligées ces dernières semaines. Je ne voudrais pas paraître ingrate, d'autant plus que je ne le suis pas: même si vous demeurez muettes, vous êtes sûrement pour quelque chose dans la venue de Patrice...

Vous me comprenez certainement: mon père et moi, on ne s'était pas parlé depuis si longtemps... Depuis ma naissance, en fait. Alors, on avait beaucoup à se dire... Rien à voir avec la communication mentale!

Depuis trois mois qu'il vient à la maison, et tout ce que j'ai vécu auparavant a basculé dans l'ombre. Encore heureux que j'aie pensé à vous. Parce que papa, lui, il a réponse à toutes mes questions. Des réponses qui sont souvent des échappatoires, provoquant d'autres questions, suscitant d'autres échappatoires, et on s'amuse bien, en cours de route...

Ne vous inquiétez pas, depuis que Patrice vient nous rencontrer, toujours aux mêmes heures, ma vie bourdonne comme un parfait mécanisme. Je suis une chatte qu'on flatte, je délire de tout mon corps, écoutez le ronron du bonheur.

Mais la chatte retombe toujours sur ses pattes.

Je me méfie: le scénario est trop beau. Je reste à distance, derrière mes immenses yeux-radars, assistant au spectacle de l'atterrissage du papa volant pas très identifié, tandis qu'il fait connaissance avec la mère de sa fille. J'admire la grâce de son approche, je l'aime de nouveau à travers les yeux de maman, il est

96

tellement aimable, tellement tout ça, que j'arrive mal à y croire, et je le mange des yeux.

Mais pas autant que ma mère...

C'était immanquable. J'ai été habituée à plus de contrariétés: ça doit résister autour de moi, pour que j'aie l'impression d'exister. Parfois je me pince, pour voir si je ne rêve pas, ou je le pince, j'ai besoin de le faire souffrir un peu, je veux être sûre qu'il n'est pas un androïde, ou un papa-personnage en trois dimensions sorti tout droit d'une holovision.

Il vivait vraiment dans l'espace intersidéral, vous le savez sans doute, amies étoiles. Patrice devait rayonner parmi vous. Il n'était pas à bord de cette base spatiale tombée du ciel, il n'est pas du genre à piquer du nez, mais il travaillait là-haut, dans une base militaire d'observation pour la paix. Une base tellement secrète que personne n'en a jamais entendu parler. C'est un secret qu'il partage avec Mado et moi, et moi avec vous.

J'ignorais qu'il y avait des personnes à bord des satellites d'observation qui nous tournent autour de la planète. Lui non plus d'ailleurs, il ne semble pas vraiment au courant, ou plutôt il fait mine de tout ignorer. C'est tellement top secret, ces histoires-là, qu'il n'est pas sûr de savoir ce qu'il sait.

Patrice, la bougie d'allumage, l'hyper-positif, l'astronaute de la paix, des projets panoramiques et des missions parfaitement accomplies, on dirait que tu te caches derrière ton supersonnage. Les militaires seraient-ils pris au dépourvu devant les menues angoisses du quotidien? Quand je te raconte mes histoires avec Julie, tu perds tous tes moyens; tu balbuties, tu deviens songeur, comme si tu avais peur d'aller trop loin, de partager vraiment notre bonheur. Papa, les militaires ont-ils la permission d'être heureux?

Avec Mado aussi, le même manège: tu lui tournes autour et au dernier moment tu t'esquives. Et tu ne lui parles jamais de ton travail. Toujours la même excuse:

— Secret militaire! Je n'apporte pas mes armes à la maison!

Madeleine est médusée. Elle qui a toujours confondu les pères et les militaires... Mais celui-ci n'élève jamais la voix; il s'est élevé dans le ciel, et il n'a rien d'autre du soldat que le désir de préserver la paix et l'amour, partout dans le monde, surtout dans son nouveau petit monde.

Attention, Mado, ce joli militaire n'est pas vraiment désarmé!

•••

Depuis que mon papastronaute foule le plancher des vaches, Madeleine ne porte plus à terre. Elle en néglige même son psy. Elle est tellement excitée que son pauvre Clément risque de déprimer.

— Un mari et un psy, ça coûte trop cher pour une femme sans travail, dit-elle à la blague.

Mais je ne ris pas.

Patrice prend de plus en plus de place dans sa vie. Celle que je perds.

Évidemment, c'est pour moi qu'elle l'accueille avec tant d'empressement, pour moi qu'elle se maquille jusqu'aux oreilles, qu'elle s'habille avec tant de goût, et c'est pour mon bien, je suppose, qu'elle bat des paupières quand il lui dit à quel point il est fier de la mère de sa fille.

S'il n'était pas mon papa, je serais jalouse... Et puis, tant pis, je le suis! Je le voudrais pour moi toute seule, sans horaire, sans ses manières embarrassées quand je lui décoche mes questions sur sa vie dans l'espace. Eh bien quoi! craint-il que je révèle des secrets militaires? Croit-il que je menace la paix qui pèse sur cette Terre? Que je pourrais perturber l'harmonie de notre petite cellule familiale?

Il a bien raison.

Mais je m'en voudrais d'inquiéter Mam au moment où son B.O. s'efface comme un mauvais souvenir. Déjà, elle s'apprête à remonter sur le ring. Patrice l'encourage beaucoup, lui qui ne parle même plus de remonter parmi les étoiles!

Ils formeraient un beau couple, ces deux-là. Je vois déjà la scène. Le patron demande à Mam:

«— Étrange, vous ne trouvez pas? Votre récent mari ressemble beaucoup à votre fille...

«— Bien sûr, c'est son père.

«— Ah bon, et comment l'avez-vous rencontré?

«— C'est mon donneur de sperme.»

Charmant! Pourquoi faut-il qu'il y ait une banque de sperme entre mes parents? Pourquoi se retrouvent-ils par l'intermédiaire d'un avocat en droits génétiques informatiques? Pourquoi mon parfait papa ne m'at-il pas faite parfaitement patate?...

Parfois, quand ils se regardent par-dessus ma mignonne petite tête, je me demande si je ne suis pas qu'un prétexte à leur rencontre. D'autres fois, j'en suis certaine.

Car j'en suis rendue là, abandonnée par mes parents et par les étoiles, à me poser des questions à moi-même. Je n'oserais pas les ennuyer avec mes histoires de fillette. On prend bien garde de ne pas déstabiliser un couple si fraîchement reconstitué, surtout quand il n'a jamais été constitué, et qu'il s'agit de ses parents.

Je n'ose pas non plus en parler à Olga, elle pourrait douter de son beau prince Ernestgumène. Pire encore, douter de moi.

Vous voyez, il ne me reste plus que vous, les étoiles.

Et ne me répondez surtout pas. Je pourrais paniquer.

●●●

Olga, inévitablement. Toujours sur mon chemin.

Impossible de l'ignorer: cinq jours par semaine, on est coincées dans la même cour de récré. Un carré de bitume entre quatre pans de mur. Une boîte à échos où se brisent nos cris dodécocacophoniques. En levant la tête, on voit un carré de ciel, presque bleu, quand la pollu ne nous tombe pas dessus.

Comme si ça ne suffisait pas pour nous couper la moindre envie de partir, la cour est protégée par des grillages, des barbelés, des télés à têtes chercheuses et des systèmes d'alarme censément sensobioniques. Tout cet arsenal pour nous préserver des voleurs et des violeurs d'enfants.

Aussi bien nous enfermer carrément!

Ensuite on s'étonne que des enfants rêvent d'êtres volés!

Mais là n'est pas le problème, pour l'instant. Il me reste encore tant d'années avant d'être de l'autre bord de la barrière, avec les voleurs et les violeurs. À l'heure actuelle, le problème s'appelle Olga Gumène: cette fille est gonflée à bloc, elle risque d'éclater!

Le bonheur est sans histoire, dit-on. C'est pas vrai. En fait c'est toujours la même histoire qui n'en finit jamais. Écoutez-la radoter un peu, on dirait un enregistrement sur ruban de Moëbius. Vous savez: une sorte de ruban tordu en forme de huit, qui passe et repasse continuellement. Ça dit continuellement: Ernest Gumène est bien, il est beau, il est bon, inépuisable, inusable, garanti pour la vie ou spermatos remis!

Je connais bien l'histoire d'Ernest; Patrice me raconte la même... Elle s'arrête quand on leur pose des questions sur la nature de leur travail dans l'espace.

Olga est coincée dans un angle de la cour, appuyée au barbelé; elle ne peut pas m'échapper.

— Je suppose que ton Ernest ne peut rien

révéler. Il ne travaillerait pas pour l'armée, par hasard?

— Comment le sais-tu?

— Je te l'ai dit: ton père ressemble au mien, comme deux gouttes de sperme.

Exaspérée, elle tend un regard implorant vers le carré de ciel. Je vois dériver un nuage de pollu dans le bleu de ses yeux.

— Et alors? Un œuf d'oiseau ressemble bien à un œuf de tortue et les tortues ne volent pas pour autant!

Il n'y a plus de bleu dans ces yeux, tout vire au gris, on dirait un orage sur le point d'éclater. Tant pis, j'achève le travail.

— Écoute, Olga: on ne peut pas avoir deux pères qui soient en même temps parfaits et différents. Il n'y a pas deux sortes de perfection. Une seule sorte, c'est déjà beaucoup!

— Julie! T'es pas un peu fatiguée de trimballer continuellement cette idée de perfection?

— Bien sûr: toi, tu ne peux pas être déçue, tu n'as aucune imagination. Pas la moindre ambition! Le premier papa venu aurait fait l'affaire! Penses-y un peu, ma pauvre vieille: avec une attitude semblable, il n'arrivera jamais d'histoires dans ta vie!

Et elle ne se fâche même pas, la fifille-à-son-papa! Le nuage de pollu a passé, le bleu lui est revenu aux yeux, ces grands yeux de biches qui me fixent comme une pauvre anomalie, pas même digne d'une bonne réplique cinglante.

— Tu dois être drôlement déçue! s'exclame-t-elle comme un accordéon dégonflé. Ton père aurait-il attrappé le mal de l'espace, aurait-il un bouton à quatre trous sur le nez, une trompette entre les yeux ou quoi?

— Même pas. Il est beau comme un mannequin. Aimable comme un comédien. Délicat comme ça se peut pas! Tellement correct que parfois je me sens mal.

— T'es sûre de pas exagérer un peu? T'aurais pas une photo par hasard?

Et en bonne place, dans ma poche arrière: la face de mon père sur la fesse gauche, j'y pense toutes les fois que je m'assois. Je te vais lui mettre du papa plein la vue, à la petite Olga. Les poumons gonflés d'émotions, je lui tends la photo comme on abat un jeu de cinq as.

... Qu'est-ce qu'elle a tout à coup? Où sont passées ses belles couleurs? Ses lèvres sont de cire, ses joues se meurent, même ses yeux sombrent dans la brume! Olga! ne fais pas cette tête-là, ce n'est qu'un papa, il n'est pas aussi parfait qu'il en a l'air.

— Hulie..., murmure une petite voix perdue dans sa grande bouche ouverte, obscène. Tu as... tu as mon papa!

Je ne la comprends pas. Elle manque d'air, ses mots s'évanouissent avant de franchir ses lèvres.

— Olga, bouge un peu! Ce n'est qu'une photo. Quand il parle, il est moins beau. Si tu veux, je peux te le prêter un peu.

— Julie, reprend-elle dans un second souffle, nous avons le même père!

— Je savais bien qu'ils étaient du même acabit. Je te l'avais bien dit: les œufs, les gouttes de sperme, les papas génétiques, ça se ressemble comme deux...

— Pas deux: un! Il n'y en a qu'un! Ils ne se ressemblent pas, Julie: ils sont le même!

J'ai dû perdre toutes mes couleurs, moi aussi. Et je dois gratter le fond de la Julie pour trouver un peu de voix.

— Olga, tu vois double ou quoi?!

— Non seulement le même, mais exactement la même photo. Regarde!

Ses mains molles papillonnent sous sa veste, comme si elle cherchait à se masser le cœur. Elle sort finalement une photo tremblotante de sa poche intérieure. Jamais deux photos n'ont été aussi identiques!

— Olga, je te l'avais dit sans le savoir: tu es bel et bien ma demi-sœur!

Je ris atrocement, comme une chatte pour-chassée par un chien.

— Julie, réveille-toi! Comment se fait-il que chez moi il s'appelle Ernest, et chez toi, Patrice?

Là-dessus, pour me sonner complète-ment, retentit la sonnerie de l'école. Finie, la récré. Mais je ne compte guère sur l'école pour trouver une réponse à mon problème...

●●●

Patrice n'a pas l'habitude, il en a des plis au front, les ailes du nez lui frémissent, il dre-bouille, il est merveilleux, mais il se crispe, se contracte, et le papa commet un faux pas, sa patate se détatraque, il panique et patatraque, ça se voit, sa belle image de soldat spatial s'abîme dans les étoiles, Pat revêt son cos-tume de papastronaute, mais trop tard, je l'ai entendu fabouiller, je l'ai surpris sans maquil-lage, j'ai entraperçu l'acteur derrière le per-sonnage. Il est humain, j'en suis certaine; je peux enfin commencer à l'aimer.

Il est encore plus beau quand il perd ses moyens! Pas question de répit, je suis trop bien lancée!

— Je sais, tu me l'as dit cent fois, c'est un secret. De toute façon, tu me dévoilerais le fonctionnement de cette invention que je n'y comprendrais rien. Tout de même, une base militaire dans les étoiles pour faire régner la paix sur la Terre..., ce n'est pas si évident, avoue.

— La première base multinationale, c'est là toute la différence, Julie. (Tout à coup sa voix se fait chancelante.) Mais je ne voudrais pas t'importuner avec des techniques antimilitaires. J'ai suffisamment perdu de temps là-haut, loin de toi.

M'importuner? Moi? Si tu savais comme ça me ferait plaisir! D'ailleurs je ne te laisserai pas le choix!

— Si je peux saisir l'importance de cette base, peut-être que je pourrais accepter ta longue absence...

Il chancelle, le bon prince Patrice. Il fait peine à voir, mais je dois savoir: il faut abattre une fois pour toutes cette base spéciale entre nous. Le moment est venu de lui assener le coup de grâce.

— Dis donc, Papa Pat: es-tu toujours militaire? Ça ne commence pas à rentrer un peu, la profession de père? La confiance paternelle, tu connais?

Excuse moi, Pap, C'est pour ton bien, tu comprendras plus tard...

— Impossible de révéler quoi que ce soit,

la paix mondiale l'exige... Mais je peux sûrement te raconter une histoire assez proche de la vérité.

— On n'a jamais fait mieux, Pap.

Il a retrouvé le tour de sourire. Vas-y, Pap, confie-toi à ta fille, tu verras comme ça fait du bien.

— Bon, alors laissons tomber les détails. Voici l'essentiel: chaque fois que sur la Terre quelqu'un déclenche un engin meurtrier d'un certain calibre, notre base spatiale le détecte et envoie aussitôt un rayon laser vers l'engin en question. Pour le neutraliser avant qu'il ne fasse explosion.

— Tu fais donc la guerre à la guerre?

— Systématiquement.

— Pourquoi pas automatiquement? Un robot suffirait à diriger cette base, non?

— Je ne suis là que pour corriger le tir, s'il y a lieu. Un simple radar pourrait se tromper...

— Et si tu décidais plutôt de passer à l'attaque?

— Impossible, nous sommes vingt-trois à bord, de vingt-trois pays. Pour décocher notre rayon laser, il faut que vingt-deux participants appuient sur vingt-deux boutons, individuellement et simultanément.

— Ce ne serait pas plus simple si tous ces pays supprimaient leur armée?

— Julie, pourquoi toutes ces questions? Douterais-tu de mes capacités antimilitaires? D'ailleurs, comment ces considérations logistiques pourraient-elles intéresser une jeune fille paisible comme toi?

Pas besoin d'insister: un seul de mes regards-qui-figent-l'adversaire suffit. Il fabouille encore un peu, puis il reprend de l'assurance et continue:

— Que deviendraient les militaires, les savants qui travaillent à l'armement et les citoyens comptant sur leur protection? On ne peut pas abandonner si facilement les milliards investis dans l'industrie de guerre: la plupart de nos merveilleuses inventions proviennent de ce secteur. Chercher à éliminer les militaires serait pire que la guerre: les armées se retourneraient aussitôt contre leurs gouvernements.

Il a peut-être raison, je n'ai pas la moindre envie de me fendre en quatre pour essayer de comprendre ce semblant de logique.

— Donc votre super-arme spatiale serait une assurance contre la guerre?

Il sourit, un peu soulagé de me voir collaborer.

— Voilà! Nous sommes plus forts que la guerre. Ce n'est pas nouveau, d'ailleurs: depuis Hiroshima, tous les pays à posséder des bombes superdestructrices ne sont jamais entrés en guerre les uns contre les autres. Par contre, d'autres pays beaucoup moins stables ont voulu aussi avoir leurs bombes atomiques, et l'équilibre de la terreur tranquille est devenu problématique. Alors les grands producteurs de bombes ont lancé cette base spatiale multinationale pour faire peur à tout le monde.

— Et depuis qu'on connaît la peur, on connaît la paix!

— Que dire de plus?

— Il n'y a qu'une chose qui m'échappe.

— Rien qu'une? Vas-y, Julie: on y arrive.

Il a baissé la garde, c'est le moment.

— Hier, au vidéojournal, on a dit que le dernier représentant de notre pays, un certain Paul Alban, venait de compléter sa première année à la base anti-guerre. Donc tu n'étais pas à bord de cette base.

S'il croit qu'il sourit encore, c'est qu'il est complètement sonné. Le compte est rendu à neuf quand il se relève.

— ... Les agissements des militaires sont très compliqués, Julie, beaucoup plus que je ne saurais le comprendre moi-même. D'ailleurs, s'ils étaient plus simples, on déclarerait la guerre à tout bout de champ. Et puis, je ne peux pas tout te dévoiler... Pas pour cette fois, en tout cas. Nous avons suffisamment perdu de temps. Il faut que je parte, maintenant.

Sauvé par la cloche!

Monsieur a rendez-vous avec ses supérieurs. Réunion très top-secrète, bien sûr. Et ce n'est pas parce qu'on est antimilitaire qu'on oublie la discipline.

Je hausse les épaules, plus effrontée qu'insouciante. Et plus sournoise encore. Tandis qu'il s'apprête à quitter Mam (ça va tellement mieux de ce côté!), je surveille sa réaction dans le miroir en lui annonçant mon rendez-vous avec une certaine Olga.

— Elle vient de découvrir son père, un pilote d'avionef, Ernest Quelque Chose. Peut-être l'as-tu déjà rencontré dans l'espace?

Il ne bronche pas. Il le voudrait qu'il ne le pourrait pas! Papa Patrice est pétrifié dans le corridor. Dix secondes s'écoulent avant qu'il reprenne goût à la respiration.

Encore heureux qu'il n'ait pas vu qui le voyait!

Olga, dissimulée dans ma garde-robe, plus molle que mon unique robe!

Quand j'ouvre la porte, je la distingue à peine au milieu de mes pyjamas blancs. Je dois la secouer pour lui redonner vie. Finalement, avec toute la misère du monde, elle acquiesce.

Pas d'erreur possible: son Ernest est bel et bien mon Patrice.

•••

Et ce n'est pas tout. Notre fameux papa a dû distribuer sa semence dans toute la ville.

Nous avons fait notre enquête, Olga et moi.

Déguisées en infirmes pour échapper aux voleurs d'enfants, nous avons décidé de franchir les grillages, dans le couloir entre notre pâté de maisons et l'école. Mouchoir anti-pollu sous le nez et foulard sur la tête, nous l'avons suivi au milieu de la ville. Nous avons même noté son emploi du temps, des journées entières, pour constater qu'il butine d'un enfant à l'autre.

Il ne fait rien d'autre. C'est un parfait papa professionnel, à plein temps, cent pour cent paternel. Il doit dire dix fois par jour, à dix enfants différents, qu'ils ont une place unique dans son grand cœur de papa spatial.

Chaque soir, après sa journée de travail, il met le cap sur un mystérieux bureau, où convergent d'autres papas, après avoir parcouru la ville. À l'entrée de l'édifice, le gardien nous a informées: ce local appartient à l'Agence Papa Secours inc. Devant notre mine sceptique, il a parlé d'un organisme favorisant la qualité de l'intervention paternelle.

Faut-il donc qu'ils suivent un stage pour perfectionner leur paternité?

La nuit, je rêve qu'il est le père de toute la ville. Le jour aussi. Même totalement éveillée, je l'imagine comme un papa-facteur répandant la bonne nouvelle à tous ces enfants en mal de papa.

Des papas payés par l'État?

Ce n'est pas l'avis d'Olga, bien sûr, elle qui se prétend réaliste invétérée. Plutôt rêveuse invertébrée! S'il fallait la croire, on aurait décroché Patrice-Ernest des étoiles parce qu'on ne trouvait pas d'aussi purs papas sur Terre!

— Pas d'aussi menteurs, tu veux dire!

Olga serre les dents et se met en boule au milieu de son lit. Son Ernest serait le pire des filous qu'elle le verrait encore comme un super-papa. Elle en a tellement besoin qu'elle se culpabilise elle-même, comme si elle était coupable de douter de lui. Elle s'en voudrait de ne pas croire à ses histoires.

— Tu te trompes, Julie. Notre père a sans doute plusieurs personnalités.

— A-t-il au moins la sienne?

— Et si c'était un clone?

— Impossible, nous l'avons suivi: quand il part de chez moi, il s'appelle Patrice, et quand il arrive ailleurs, il porte un nouveau nom.

— Peut-être des noms de code, pour désigner la semence anonyme qu'il a vendue ici et là. Ma mère m'a toujours dit que son donneur s'appelait Ernest, et qu'il vivait trop loin, dans un avionef. Mon père ne veut pas faire mentir ma mère...

— Olga, aurais-tu déjà oublié les résultats de notre enquête? Nous avons questionné huit de ses enfants, et chaque fois il leur raconte des vies fabuleuses et nébuleuses dans la stratosphère et d'autres sphères. Pourquoi toutes ces histoires?

Olga promène un regard craintif sur les murs colorés de sa chambre, comme si son petit confort était menacé.

— Pour ne pas décevoir ses enfants. On leur a raconté toutes sortes d'histoires à son sujet, il essaie de s'y conformer.

— Suffit! Il arrive maintenant. Alors tâche de bien jouer ton rôle... et de ne pas fondre devant le premier de ses charmants sourires!

●●●

Il est là, Papa Pat, maintenant en Papa Ernest, souriant aimablement à sa fille Olga, qui lui retourne un sourire incertain. Le bel Ernestgumène est bien à l'aise dans le salon de chez Olga, tout y est disposé à peu près comme dans notre salon. Ces appartements construits en série se ressemblent tellement: les plinthes au néon, les vidéo-tableaux, les sofas-patates, les tables en suspension, la télé mur à mur, les fleurs holovisées, les aqua-murs, tout est du pareil au même. Y compris les super-papas.

Je me suis dissimulée derrière une grotte de l'aqua-mur. Une sorte de cloison double, en verre, remplie d'eau et de poissons multicolores qui se promènent du plancher au plafond en semant des chapelets de belles bulles bleues. Quelle vie!

Dans le viseur de ma caméra, il ondule comme un poisson insouciant. Ses belles paroles montent dans un chapelet de petites bulles chatoyantes. Il prend un air inspiré et s'extasie pour des riens, comme Olga. Sûrement une sorte de poisson-caméléon, un as du mimétisme, capable d'imiter jusqu'au sourire de ses victimes.

Quand il est avec moi, il se méfie, il se raidit. Telle fille, tel père... Je me demande si bientôt il sera capable de sourire tout en se raidissant.

— Vraiment, papa, minaude Olga, tu ne sais pas combien d'enfants tu as? Deux, trois, peut-être plus?

Sûrement six cent cinquante-six, dis-le donc Olga. Pourquoi se serait-il arrêté en cours de route? Au prix où on lui payait la goutte, il a dû fournir des rivières d'enfants!

— Je ne sais vraiment pas, Olga. On m'avait demandé du sperme pour faire des études dans un laboratoire. J'ai joué un rôle de géniteur à mon insu!

Quel merveilleux géniteur! Tant de fois papa, et il ne le saurait même pas!... Il ne se doute de rien. La caméra ronronne discrètement, mais il n'entend que l'inlassable bullulement de l'aqua-mur.

Le moment est venu. Si je n'interviens pas dans les prochaines minutes, Olga finira par tout gober. Je branche la caméra sur le pilote automatique et, attention, Julie Joyal entre en scène.

Talam! Olga elle-même semble surprise, comme si elle m'avait oubliée. Mais sa réaction pourrait passer inaperçue, en comparaison de celle d'Ernest-Patrice.

Il a réussi! Du côté d'Olga, il sourit, très jaune, et du mien, c'est la crispation totale.

On dirait qu'un trait bien net sépare les deux expressions opposées.

— C'en est trop! réussit-il finalement à prononcer, malgré sa bouche tordue. Mes deux filles sont aussi deux amies? Et moi qui cherchais secrètement une occasion de vous réunir! Quelle belle surprise!

Un peu plus et il me prenait dans son jeu! Au dernier moment, je lui décoche une question nerveuse, comme au sortir d'un rêve:

— Pourquoi es-tu si blême, alors?

— L'émotion, mes petites. Vous, vous ne découvrez qu'un père, mais moi, je découvre deux filles!

— Et les autres, tu ne les comptes pas?

Cette fois, il n'essaie même plus de sourire.

Je sors mon calepin, commence à lire des noms et des adresses. À mon huitième et dernier nom, je ferme le calepin, comme si j'étais trop lasse pour énumérer une série beaucoup plus longue.

— Pourquoi nous avoir caché la vérité? demande Olga, dans l'espoir d'entendre une excuse, n'importe laquelle.

— Qu'est-ce que vous voulez savoir? Que j'ai été père malgré moi, que je viens de l'apprendre à cause de la nouvelle loi sur les géniteurs anonymes, et que j'essaie de remplir

117

mon rôle, parce je veux prendre mes responsabilités malgré tout?

Il s'agite, comme s'il était en train de se noyer dans l'aqua-mur. Derrière lui, les poissons fuient dans leur grotte de plastique. Tandis que Patrice lève des yeux affolés, comme pour chercher de l'air, ou du secours, Ernest s'effondre sur le divan en suspension.

Olga rejoint son père sur le sofa, leurs corps oscillent dans l'air saturé de tensions dramatiques. Moi-même, je n'en peux plus, il me faut en finir avec cet imbroglio.

— Tu as suffisamment tourné autour du pot, mon cher pseudo-papa. Le moment est venu de nous raconter ton rôle à l'Agence Papa Secours inc.

•••

Atterrissage en catastrophe. Le papastronaute a dégringolé en bas de son fauteuil. Il gît, en larmes, tout petit, sur le tapis.

Et il se dit soulagé. Il n'en pouvait plus de jouer ce rôle. De se faire jouer par ce rôle. Enfin! il peut se présenter tel qu'il est, devant ses deux filles les plus lucides, les seules à douter de ses histoires de soldat spatial.

Car il n'était qu'un acteur, un comédien sans emploi, trop heureux de pouvoir saisir ce rôle si particulier: jouer un parfait papa, dans la vraie vie, lui qui aurait tant aimé avoir des enfants!

Ses grands yeux éplorés se noient dans les larmes, il renifle bruyamment, il a la mimique fatiguée, les traits tirés, le sourire tout flasque, oh comme il n'est pas parfait! C'est plus fort que moi, je l'embrasse sur ses deux gros yeux brûlants de larmes salées. Pour la première fois, je l'aime sans retenue.

Son regard mouillé dérive vers l'aquamur, sans voir les poissons flottant dans le salon, comme s'il scrutait les étoiles au-delà de sa base spatiale imaginaire. Il voudrait être à cent mille lieues d'ici, là-haut, et il se confie comme s'il jetait du lest. Écoutez son histoire, amies étoiles, et tâchez au moins de briller de toute votre intensité quand un pauvre papa tend les yeux vers le ciel nocturne.

«Je faisais partie d'une petite troupe de théâtre itinérant, on jouait dans les parcs pour les touristes, et pour des miettes. Mais les autorités ont fini par clôturer les derniers parcs libres. À cause des voleurs et des violeurs d'enfants. Comme on n'était pas très propres, et plutôt très bohèmes, et qu'on plaisait beaucoup aux enfants, les policiers ont fini par nous soupçonner des pires crimes.

«De toute façon, les comédiens ont déserté les parcs. Maintenant, c'est défendu de jouer en pleine nature. Comme si on pouvait polluer! Le public doit payer son ticket et s'enfermer dans des salles pour subir des pièces éducatives où des acteurs professionnels jouent des rôles de bohèmes.

«Je m'étais résigné à des rôles de laveur de vaisselle et de distributeur de fascicules, lorsqu'un jour, mon jour! j'ai vu une annonce tout étoilée qui semblait m'interpeller! On demandait des comédiens pour interpréter des rôles de père auprès d'enfants nés à la suite d'inséminations anonymes.

«Il n'y avait pas de meilleurs personnages pour moi: je fais partie des 37 % de la population mâle à souffrir de stérilité. C'était une chance unique d'avoir un, deux, dix, quarante, six cent cinquante-deux enfants! Et je ne connaissais pas de meilleur public pour me redonner goût au théâtre... et à la vie.

«Bien sûr, on me demandait de tromper des enfants; à ce jeu-là, je risquais de me tromper moi-même. Mais c'était pour leur bien, et pour le mien. Le metteur en scène de l'Agence Papa Secours inc. m'avait convaincu aisément.

«— Ces enfants ont besoin d'une présence paternelle pour grandir intérieurement. Tu viens matérialiser leur rêve, tu leur donnes un peu de réalité, un élan dans la vie, rien de plus.

«J'avais des réticences, je craignais plutôt de briser des rêves. Par chance, le metteur en scène connaissait bien la pièce.

«— Tu ne peux pas te tromper. Au mieux, tu leur serviras de modèle à imiter. Au pire, tu seras l'empêcheur de tourner en rond; tu les forceras à développer leur résistance, à te dépasser, à se dépasser eux-mêmes.

«D'ailleurs cette initiative venait de mères désespérées de voir leurs enfants hantés par un père qu'ils ne connaîtraient jamais. Pouvait-on reprocher à des mères de tromper leurs enfants? Les géniteurs n'ont-ils pas été les premiers à tromper leurs enfants? Alors, tant qu'à donner un père à des enfants, aussi bien trouver les meilleurs pères possibles, tels qu'ils devraient exister.

«J'ai pris des cours de parfaits papas. J'ai appris à apprendre aux enfants. Selon des critères que je ne comprenais pas toujours, mais je comptais bien sur l'improvisation...»

Moi non plus, je ne comprenais pas toujours. Mais une chose était sûre: notre papa prenait son rôle à cœur. Sûrement plus que notre véritable géniteur. Au fond, je commençais à me trouver bien chanceuse d'avoir un père professionnel.

Je ne m'apercevais pas encore qu'en découvrant le comédien, je venais de détruire le personnage...

•••

Il est parti en séchant ses larmes. Rompu, apaisé, tout chancelant de gratitude. Nous nous sommes promis de nous revoir avant de prendre une décision. Comme si nous étions capables de décider.

Olga craint que sa mère n'apprenne la vérité sur son faux père. Elle a peur de perdre Ernest, l'acteur comme le personnage.

Et je pense à Madeleine, à sa santé chancelante, au coup terrible que je lui ferais si elle apprenait que mon père génétique n'est pas mon père génétique. La vérité, ce n'est pas une thérapie!

En silence, nous regardons ces innocents de poissons qui font des bulles bien rondes dans la cloison transparente, et je voudrais entrer dans le mur aquatique, monter et descendre avec eux, faire de belles bulles innocentes, sans m'inquiéter du mal que ma mère a semé en croyant me faire plaisir, et du mal que je peux lui rendre en détruisant son scénario.

Vite! bouger! casser quelque chose! à défaut de rafistoler l'irréparable. Trois bonds et je suis de l'autre côté de la cloison, je sors la cassette de la caméra et, avec ostentation, pour démontrer mon changement de cap, devant Olga, je la jette dans la gueule chromée de l'inciné.

D'ailleurs, je ne savais plus très bien pourquoi j'avais filmé la déconfiture de mon Patrice. Pour le faire chanter? Prouver à nos mères que nous n'étions pas dupes? Lui montrer à lui-même à quel point il avait menti? Je ne voyais même pas pourquoi je détruisais cette cassette avec tant de satisfaction. Pour me prouver à moi-même que je voulais tout effacer?

Impossible, bien sûr, et Olga, se chargea de le rappeler. Olga, je t'en prie, reprends tes couleurs, montre-moi que ton beau sourire n'est pas effacé pour la vie!

— Olga, je ne dirai rien à ma mère, ni à la tienne. On a perdu un père, c'est bien assez.

La parfaite rondeur de ses yeux bleus me glaça le sang.

— Tu as aussi perdu une demi-sœur!

•••

Vous ne savez que briller quand le monde dort! Et encore, seulement s'il n'y a pas trop de pollu. Je sais qu'il n'y a personne pour arpenter vos déserts. Vous n'êtes même pas foutues de répondre à un SOS, mais vous allez m'entendre malgré tout, chères étoiles. Parce qu'il n'y a que vous pour m'écouter sans grincer.

Vous et Olga qui me prête une oreille, une seule, celle d'une demi-sœur. La cour de récré continue de nous rapprocher. Malgré nous, nous restons unies par notre faux papa.

Nous l'appelons Patern, maintenant. Diminutif de Patrice et Ernest. Ça sonne comme «pattern», c'est-à-dire «structure», ou «forme», ce qui lui va bien, car il n'est qu'une forme de papa.

Quand il vient à la maison, il reprend son rôle de Patrice, pour faire plaisir à Mam, son metteur en scène. Mais l'entrain n'y est plus. Et moi non plus.

Sans le savoir, Mado est devenue son seul public. Mam va mieux, mais elle reste accrochée à ce petit théâtre familial: elle a besoin de me savoir comblée par mon pseudo-papa.

Pat hésite de plus en plus, son jeu n'est guère convaincant, mais je n'offre aucune résistance, je deviens la fillette obéissante que tous souhaitent, si bien que Mam se pose toutes sortes de questions. Jamais elle ne m'a vue aussi disponible, affectueuse même, comme si j'avais besoin de me faire pardonner... Elle va finir pas se méfier. Pourtant, je ne simule rien: je suis heureuse comme si j'avais trouvé un vrai père, je ne me reconnais plus moi-même.

Quand il est seul avec moi, parfois, Pat s'oublie, le masque tombe, et nous devenons des complices chuchotant dans les coins sombres de notre imagination. Timidement, d'abord, puis de plus en plus en confiance, il me dévoile les histoires merveilleuses qu'il raconte à ses enfants, histoires foisonnantes, magiques et fantastiques, en accord avec le monde des insectes et l'univers des étoiles, faisant de tous les auditeurs les enfants du bonheur...

Un jour, toutefois, Pat devra bien asséner la vérité à Mado. Mais il craint de briser son fragile bonheur, il attend toujours que Mam ait repris sa pleine forme... Nous risquons de continuer longtemps ainsi, enfermés dans notre scénario déréglé.

À la fin de la semaine, il est venu me voir en traînant les pieds, comme un prisonnier en proie à des remords.

— Je ne peux plus accepter cet argent. Madeleine ne me paie pas pour la tromper! Julie, j'ai peur de perdre Mado.

Il l'aime! Ça me tombe dessus tout d'un

coup. J'étais trop préoccupée par son rôle de pseudo-papa, j'ai complètement oublié le simili-mari!

— Non, Pat, je ne peux pas accepter cet argent, pas plus que toi. Tu le lui remettras plus tard.

Un jour ou l'autre, forcément, le rideau tombera, nous serons libérés de ce jeu cruel et nous nous retrouverons tous les trois dans les coulisses, délivrés de nos personnages.

Dans mon désarroi, je pense à utiliser la paye de Pat pour embaucher secrètement un nouveau faux papa, qui jouerait le rôle de mon vrai géniteur, pour délivrer Pat et Mad, pour qu'ils puissent se rapprocher, sans me voir entre les deux.

Tout ce théâtre est insensé. J'apprécie votre patience, chères étoiles, et j'espère que vous savez lire à travers mes égarements... Faites donc un petit effort, pour une fois: permettez que j'aille vous rejoindre!

●●●

Mam va de mieux en mieux, elle virevolte comme une fée dans l'appartement, semant des étincelles dans son sillage. Elle butine ses plantes comme un colibri ivre de printemps; elle chantonne ses fredaines de petite fille, et les plantes ondoyantes, comme dans un dessin animé, lui répondent en chœur. Elle a tout repeint de couleurs jeunes, tendres, heureuses. Même les vieux poissons décolorés de l'aqua-mur ont dû céder la place à un banc de poissons arc-en-ciel. Un tourbillon de bonheur a bousculé les meubles, les jetant tout ébahis dans des angles insolites. Un nouveau décor, pour une nouvelle vie qui s'annonce à la sortie du tournant.

Madeleine se prépare à reprendre le travail. Mais il ne faut plus prononcer ce vilain mot: cette fois, elle s'est trouvé des occupations correspondant à ses passions. Mado n'aura plus l'impression de travailler ni de se fatiguer; elle ne sera plus payée selon son rendement, appréciée selon ses sourires, classée selon son ancienneté. Elle sera son propre patron, sa paye sera d'abord sa satisfaction. Sa nouvelle phrase-fétiche: «Le vrai travail se mesure au bonheur qu'on répand autour de soi.»

Je n'ai jamais travaillé, mais je crois qu'elle est un peu idéaliste. Ou en amour! Toutes les fois que Pat vient à la maison, elle a de ces regains d'énergie qui me jettent à terre!

Sans qu'il l'ait voulu, Patrice y est sans doute pour beaucoup dans l'attitude de Mado. Seulement par sa présence, par son attention à nos deux petites personnes, par la façon toute feutrée dont il s'occupe de ses activités paternelles professionnelles.

Mam a remercié son psy, non sans le secouer un peu. Depuis quelque temps, il se sentait inutile, perdu dans le sillage de la tornade Mado. Il a penché la tête, un peu penaud, puis il est parti en dissimulant un sourire de satisfaction. Drôle de job: quand ses clients le mettent à la porte, c'est qu'il a réussi!

Clément parti, Patrice revient en force. Deux fois par jour, et deux heures à la fois. Et ce n'est pas pour l'argent, puisqu'il place sa paye dans un compte à mon nom. Ni pour moi, d'ailleurs: je me retire dans ma chambre, je boude, j'ai honte, je ne réussis plus à entrer dans la peau de mon personnage.

Pat, Mad, vous êtes si drôles, on dirait que vous me prenez pour une enfant! Je sais parfaitement ce que vous fabriquez, le soir, quand je suis branchée sur mes émissions ennuyeuses pour trouver un peu de paix, ou le jour, quand je tourne en rond dans la cour de récré, le plus loin possible d'Olga... À mon retour à la maison, vous êtes rayonnants, tout souriants, je dirais même transfigurés, c'est le mot. Vous n'arrivez plus à vous quitter. Vous ne prenez même plus la peine de replacer les coussins éparpillés dans le salon. Je pourrais même vous surprendre dans le lit, si je n'allais pas me réfugier dans ma chambre, à ruminer ma solitude.

Quand il est parti, c'est pire. Il y a comme un grand vide dans l'appartement, dans la pénombre de ma chambre, ou quelque part dans ma poitrine. Je n'ai pas encore de seins, pas pour la peine, mais je les sens qui se tendent vers je ne sais quel apaisement.

Je sors de la chambre en vacillant, passe par le frigo, cueille un resto-clip et atterrit mollement sur le sofa-patate. Mado chantonne sans arrêt, elle est si légère que je regarde ses pieds pour voir s'ils touchent vraiment au tapis. Il n'y a plus qu'un seul problème dans sa vie: moi, bien sûr. Mais je mets toute la pression sur ma motte d'angoisse. Un jour, comme un bouton lancinant, ça va aboutir...

Ce soir, en ouvrant la porte de l'appartement, je suis décidée: notre vie à trois doit changer... Curieusement, je ne vois Patrice nulle part. Un moment, je crains une rupture, un coup de théâtre. Mado est pourtant calme, sûre d'elle-même, comme si elle avait emmagasiné des forces pour affronter la tempête qu'elle s'apprête à déclencher.

— Julie, dit-elle avec une douceur à faire peur, je dois te parler.

— Moi aussi, Mam, je n'en peux plus de suivre le jeu que tu m'as imposé. Je...

Je ne sais pas par quel bout commencer. Je n'ai plus de place dans cette histoire qui m'a dépassée. Leur histoire.

— Tu me raconteras plus tard, Julie, avec tous les détails, et moi, je te dirai à quel point j'étais B.O. Je ne voulais pas que tu souffres comme moi, Julie: je voulais te donner ce qui t'a manqué, et qui me faisait tellement défaut...

— Mam, j'ai joué un rôle si longtemps avec Pat: je n'arrive plus à me retrouver!

— Ne te fatigue pas, Ju-Ju: Patrice m'a tout raconté.

Quoi? Il me jouait aussi! Pas assez de son double personnage, il lui fallait un triple jeu! Je me crispe, la fureur monte en moi, je suis une bombe sur le point d'exploser, rouge et pulsante. Mais la mèche est humide, et finalement je me recroqueville comme un insecte dans une verrue du sofa-patate. Mon univers est un sofa-patate, toujours modifié, toujours patate.

Je redeviens boule, comme un embryon anonyme venu du néant. Je voudrais me cacher la tête sous les bras, me rentrer les genoux dans la poitrine, vomir ma rancœur contre moi-même. Mais la main bienfaisante de Mam me caresse la nuque, et c'est comme si je réapprenais à respirer.

Quand je réussis à reprendre mes esprits, je m'aperçois que Patrice est là, comme un ange descendu du ciel, tout de blanc vêtu, avec un grand gâteau blanc dans ses mains trop blanches.

— C'est notre fête à tous les trois, dit-il en déposant le gâteau qui oscille un moment comme un ovni crémeux sur la table en suspension.

— Qu'est-ce qu'on fête? dis-je avec une innocence forcée, en reniflant péniblement.

— Nous sommes ensemble depuis un an, et dans quelques minutes nous prendrons une décision qui engagera notre avenir, à tous les trois.

Je me retourne vers Mam, comme si elle pouvait me tirer d'un guet-apens. Mais qu'est-ce qui lui arrive? Elle n'arrive plus à sourire, elle a un nuage de pollu dans les yeux.

Patrice reprend la parole, aidé sans doute par sa formation de comédien:

— Julie, si tu veux, nous t'amènerons en voyage... de noces!

•••

Mon faux père génétique, un homme stérile, allait devenir l'époux de ma mère, et mon vrai père adoptif!

Si j'acceptais...

Comme si un enfant pouvait dire non au mariage de ses parents!

Enfin, puisqu'ils me demandaient mon avis, et qu'ils l'attendaient avec un brin d'appréhension, je leur ai fait part d'une condition. Leur belle histoire d'amour n'était pas pour me déplaire, certes, mais ces histoires-là se vivent mieux à deux, et je ne voulais pas m'ennuyer à les regarder s'aimer. Je désirais qu'ils amènent aussi ma demi-sœur Olga, que je pourrais enfin choyer, pendant qu'ils allaient me faire une autre demi-sœur, ou un demi-frère. Il paraît que certaines techniques génétiques permettent maintenant de contourner la stérilité...

Avant de partir, cependant, Mam cherchait à me dévoiler quelques autres secrets. Elle faisait pitié à voir, avec cette façon de tourner autour du pot, comme pour me ménager.

— Vas-y, Mam: nous aurons deux semaines de voyages pour encaisser le choc.

— Ça concerne l'identité de ton père. Le moment est venu de te confier toute la vérité: ton géniteur restera à jamais secret.

Je vais abréger, parce que ma mère n'en finissait pas de dire qu'il n'y avait rien à dire sur ce père. Aucune loi ne pourrait jamais forcer notre banque de sperme à dévoiler son nom, la direction de l'établissement ayant pris tous les moyens nécessaires pour ignorer à jamais l'identité de ses pourvoyeurs. Le sperme de divers sujets était confondu dans une même bouillie. Il est impossible, scientifiquement ou non, de retrouver le spermatozoïde coupable de ma naissance.

Les pourvoyeurs étaient des itinérants, des étudiants ou des pauvres qui vivaient de leur semence. On gardait le résultat de leurs tests d'aptitudes, leur taille, la couleur de leur peau et de leurs yeux, mais on prenait bien soin de ne pas noter leur nom, leur pseudonyme ou leur matricule. Rien. Pour être sûr qu'aucune mère ne demande des comptes à la banque de sperme.

Voilà. C'est banal. J'ai un père blanc, pas très riche et très absent. Comme tant d'autres. J'étais donc une enfant normale. Mon père n'était pas parfait, loin de là, et je n'avais plus à me croire tenue de l'être.

Je peux maintenant me tromper en toute quiétude, sans penser que je gaspille mon fabuleux potentiel génétique. Pat est un type ordinaire, essayant de tenir le rôle d'un père convenable. Et maintenant Mam peut tomber du ring sans se remettre en question.

Un père pro qui a appris son rôle au théâtre, une mère épousant le super-père qu'elle a engagé, et une fille engendrée par un itinérant anonyme: nous formons une famille tout à fait normale!

• • •

Bien sûr, vous ne pouvez pas me répondre, vous vivez à des mille milliards de kilodrames d'ici, mais je sais que vous pouvez lire en moi, comme dans un livre tout grand ouvert.

Avant de partir en voyage, je voulais m'adresser à vous une dernière fois, pour vous remercier d'avoir partagé mes mots en silence. Le soir, avant le sommeil, je vous regarde par la fenêtre et je vous sais moins seules, plus scintillantes.

Désormais, il y a un peu de vous dans notre appartement. Mado flotte comme un feu follet, elle ne touche plus au tapis, j'ai vérifié. Elle est redevenue mon amie, ma complice, ma confidente, et ma mère, tout excitée de se marier devant sa grande fille. Et Patrice brille de toute sa présence; il n'est pas parfait, mais comme il ne joue plus un rôle, il ne commet pas d'erreur. Je le sais, maintenant: la perfection n'est pas de ce monde. Vous seules, peut-être, la connaissez; c'est sans doute ce qui vous rend silencieuses.

Je n'aurai plus à vous écrire, dorénavant. L'avionef me rapproche de vous. Déjà, je suis aux étoiles!

Notre histoire finit bien, elle sait s'arrêter quand tout va pour le mieux, au moment où ma meilleure amie et moi, nous partons en voyage spatial avec mes parents. Bientôt ils se marieront dans l'espace.

C'est notre baptême de la stratosphère. On regarde la Terre, toute petite dans l'infini, comme une belle boule bleue, et on se demande comment on arrive à se compliquer la vie au sein d'un univers aussi parfait.

Et j'ai une raison de plus de me réjouir, un secret que je ne confierai qu'à vous, chères étoiles. À mesure que l'avionef me rapproche de vous, j'en suis de plus en plus convaincue, je suis la fille des étoiles!

Coma-70

Les draps blancs se gonflaient au-dessus de mon lit d'hôpital. Ils s'envolaient comme un drapeau arraché à son mât. Un vieillard livide, presque diaphane, s'en échappait lentement, lui aussi aspiré vers le plafond.

Son corps rachitique et sa peau farineuse disparaissaient dans une clarté éblouissante, dissolvant les couleurs et les angles de la chambre. Des rayons convergeaient vers la figure terne du spectre, au milieu de laquelle la bouche douloureuse se dilatait comme une engelure violacée.

Bien que la lumière fût partout réverbérée, je distinguais le front ridé, labouré par l'angoisse, les yeux sombres, enfoncés dans

les arcades saillantes, la plaque de peau rem-
brunie affaissée dans le creux des joues, la
barbe parsemée d'une pellicule blanchâtre,
et le rictus insoutenable de ses lèvres tumé-
fiées, ouvertes comme une plaie à vif sur ses
dents serrées.

Malgré la sénilité du personnage, malgré
son masque macabre, je vis qu'il était moi!

Aérien, quasi transparent, fluide et flam-
boyant, mon double assistait à ma mort sans
broncher.

Soudain, le vieillard se contracta sous
l'effet d'une implosion. Ma vision se mit à
tournoyer, ses couleurs radieuses se fusion-
nèrent dans une mosaïque agitée, kaléido-
scopique, psychédélique, et je revis tous les
moments de ma vie, merveilleusement agen-
cés dans un mandala aux motifs infinis. Puis
une douleur au cœur me ramena brutale-
ment à ma dimension corporelle, et j'enten-
dis deux voix, tellement réelles, trop réelles:

— Malter se meurt!

— Vite! Rebranchez le respirator!

● ● ●

Je venais d'atteindre mes cent ans, cet
objectif tant convoité des vieillards mo-
dernes, lorsqu'un raté du respirator faillit

m'achever, me révéla à moi-même et changea ma vie...

Mon corps avait subi une longue série de greffes, les traitements coûteux de l'hémodialyse me volaient tout mon temps et, sans le rein artificiel, le cœur de plastique, les poumons de cochon et la batterie d'appareils chargés d'assurer mon métabolisme, jamais je n'aurais passé soixante-dix ans de convalescence, entre le coma et la mort.

Mais c'était là l'exploit des médecins, surtout pas le mien.

Pour ma part, j'attendais patiemment qu'une mort définitive ait raison de leur thérapie douteuse. Bien qu'inconscient, je le désirais de tout mon être. Ma précaire survie de zombi n'avait de sens que pour les médecins qui y voyaient un témoignage «vivant» des performances antithanatiques de pointe. Si bien que je fus amèrement déçu lorsque le respirator me cueillit, à la fine pointe de la décérébration.

Puis les souvenirs refluèrent en moi, donnant un sens à une vie qui ne m'appartenait plus. Je me rappelais qu'avant mon entrée à l'hôpital, quand j'étais un jeune écrivain, j'avais produit quelques fictions pour explorer les prémices de la mort. Dans l'espoir de poursuivre les explorations métapsychiques des Daumal, Kübler-Ross et Michaux, je m'étais associé à une équipe de thanatologues pour entreprendre un voyage mental au-delà de la vie. Mes textes résulteraient d'une expérience scientifique à la limite de l'écriture. Après avoir absorbé certains hallucinogènes provoquant des stases de simili-mort, je devais abandonner ma conscience à des appareils d'enregistrement qui capteraient mes pensées à la source. J'avais signé un contrat avec le docteur Ratel, lequel m'utilisait comme cobaye pour ses recherches sur l'agonie.

Cependant, lors de ma dernière expérience, demeurée inachevée, les bandes d'enregistrement étaient restées vierges.

En quelques secondes, mon esprit s'était égaré dans l'au-delà. Pendant qu'une tornade d'images me brûlaient les neurones, ma vie défilait à une vitesse vertigineuse. Mon cœur s'épuisait, mes poumons suffoquaient, mes nerfs se raidissaient et l'entropie s'emparait de mes organes. La mort faisait son chemin dans mon corps à l'abandon. Ma conscience de vieillard sclérosé se réduisit finalement à un mince noyau. Et j'ai dû rester ainsi, dans la décathexis, pendant soixante-dix ans, jusqu'au jour où le respirator...

●●●

Pendant son voyage dans l'au-delà, mon esprit avait perçu les turbulences d'une expansion lumineuse, ou plutôt les émanations vibratiles de la métempsycose, ou encore la subtile sensation de... Non! Je n'avais plus de sens pour capter quoi que ce soit, pas plus que nous ne possédons de mots pour rendre compte de la non-existence.

Je m'accrochais à une image diffuse de moi-même, comme un vague souvenir. L'expérience avait dissolu mon «je». Mon double voyageait dans un univers immatériel où les morts vivaient à rebours dans un espace-temps inversé, au sein d'une vaste société évanescente, régie par la mémoire collective des vivants.

Au cours de sa dérive, mon esprit avait senti monter la colère de milliards de morts, trahis par les vivants. Ils nous reprochaient de trahir les moribonds, de provoquer ainsi des traumatismes chez les âmes nouvelles, naissant au pays de la mort. Je me rendais compte que notre société de vivants était en train de gâcher notre au-delà.

Les morts ne reposaient plus en paix!

Et ils me priaient de regagner la vie, de continuer ma mission, et de transmettre leur angoisse à travers mes fictions. Je devais dénoncer la nécrophagie de la société actuelle et montrer que sans le respect des ancêtres, la civilisation allait se résorber progressivement dans le rituel minable de la mort moderne, anonyme, minutée, solitaire et monnayable. Ils me donnaient la possibilité de continuer mon œuvre, mais aurais-je la force de consacrer mes derniers jours à chercher la signification de ma mort?

•••

J'ai facilement dissimulé aux médecins que j'avais gardé le souvenir de mon voyage parmi les morts. Mine de rien, j'ai feint de mener une petite fin de vie tranquille, avec d'autres retraités, dans une aile en retrait de l'hôpital. Puis, dès que j'en ai eu la chance, j'ai essayé de rejoindre de vieilles connaissances du milieu littéraire.

Hélas! tous les amis étaient décédés depuis longtemps. Paradoxalement, le coma m'avait conservé en vie, mais je me sentais comme le rescapé d'une époque révolue. J'avais l'impression d'avoir échoué dans l'une de mes vieilles histoires de science-fiction. Personne ne me connaissait, tout le monde ignorait mon nom de plume. La littérature elle-même semblait disparue des mémoires.

Un jour, cependant, j'ai rencontré un historien qui consulta le Versins, un vieux dictionnaire de science-fiction et de voyages extraordinaires. Mais on n'y mentionnait pas le nom de Yan Malter. Enfin, au terme de recherches compliquées, j'ai pu communiquer avec un archéologue excentrique, soi-disant fin connaisseur de l'antique littérature. Il affirmait avoir déjà lu mon dernier livre de fictions: *N'ajustez pas vos mémoribonds* .

— Sanblag! Tes cMalter de malheur, çui quia traité ctautomatex? Ah! la belle époque! quand quon décodait encore les écrits à cerveau nu... Maxi-gras, monomme! Ça, cé-tait du show-flyé!

Je comprenais mal le jargon à la mode, mais à force de questions répétées, j'ai fini par saisir leur perception de la science-fiction: une sorte de folklore, conservé à 5 % dans les coffres culturels de l'Étatout, recons-titué en fait à 10 %, grâce aux bibliothèques secrètes de quelques fanatiques.

Ce que je craignais de pire était arrivé il y a longtemps, lorsque le genre de l'avenir, dépassé par l'actualité, était tombé en décré-pitude. Les écrivains de SF s'étaient scindés: les plus sérieux s'étaient tournés vers la litté-rature générale, qui disparut plus tard sous la poussée de l'informatexte, tandis que les plus populaires s'étaient laissé acheter par le cinéma et la TD. Le show l'avait emporté sur les mots. L'anticipation était du passé. Seuls quelques marginaux continuaient de rabâcher ses apocalypses rétrograde.

Pourquoi donc m'avait-on gardé en vie, comme un spécimen en voie de disparition, finalement oublié dans un obscur département perdu dans un hôpital gigantesque?

L'archéologue ne put me renseigner, il croyait que j'étais mort depuis belle lurette.

Peut-être avait-il raison...

• • •

J'ai pris la résolution de quitter ce moritorium.

Autrefois, j'avais eu une fille dans cette ville; je la retrouverais, et elle m'aiderait à terminer mon œuvre avant ma mort définitive.

Je me suis fait porter absent aux séances de régénération, j'ai craché mes calmants, me suis équipé d'un réservoir de super-sérum, me suis habillé en civil avec des vêtements volés au vestiaire des médecins, puis, le métaboliseur dissimulé dans une serviette, je suis sorti par la grande porte, sans oublier ma carte électronique, totalisant trente mille dollars universels.

J'en ai dépensé cinq mille pour rejoindre la dénommée Mira Malter. En découvrant cette femme affaissée, aux traits de mollusque, sans âge et sans attrait, j'ai regretté mes vingt heures de trajet par la transurbaine. J'ai dû lui montrer ma carte d'identité pour lui prouver que j'étais bien son père. Visiblement embarrassée, elle ignorait tout des relations qu'elle devait entretenir avec un père, ou plutôt un revenant, hors-la-loi, comme si j'avais usurpé cette vie chancelante que je conservais en tremblant.

Je lui ai expliqué, sans doute trop rapidement, que je devais terminer mon œuvre de science-fiction. Elle m'écoutait, saisie d'étonnement, spectatrice incrédule devant un phénomène aberrant. Quand j'ai abordé ma vision de l'après-coma, elle m'a éclaté de rire en pleine face. Aucun doute, elle me prenait pour un détraqué, plus mort que vivant.

— Coute-moi ben, ti-père pasdpoil: cause-moi pas d'histoires, pis jte mets dans mon mémo. Toutourne gentiment ronfler à l'asile, sinon... jte débranche!

Je ne comprenais rien, si ce n'est que je devais déguerpir. À cause de mon évasion, j'étais en état de présence défendue, et si

144

l'Étatout retrouvait mes traces, Mira risquait de passer pour complice.

Je me sentais coupable d'être son père. Pour faire oublier mon irruption, j'ai affiché un grand sourire puis j'ai emprunté le jargon de l'époque:

— Zyeute-moi pas comme un papa-gaga: lvieux est encore capab de capter vot État-tout et tout vot trucatoc. Tiens, fifille: vlà cinq mille dollars passe-partout, mets ça dans ta pipe. Adieu, Mira Mirapas!

•••

Tandis que la TD miniature du taxi diffusait ses commerciaux, je me suis laissé hypnotiser par le défilé interminable de la ville bariolée. J'en avais plein la vue de ces beaux buildings barrococo, scintillants comme des joyaux démesurés. Parfois, mon regard halluciné restait rivé à une architecture en trompe-l'œil, défiant les lois du béton, comme l'Intergalactic Building Market, avec sa base pivotante, ou les trois répliques de l'Empire State Building, brun, rose, vert, parallèles et légèrement penchées, comme trois Tours de Pise. Le stade flottant dans le port m'a beaucoup impressionné, mais pas autant que la Pyramide de Manhattan, d'un étrange noir lumineux, haute de cent vingt-trois étages, tous numérotés au néon, et couronnés par une reproduction fidèle de la Pyramide Del Sol de Teotihuacan. Partout, d'audacieuses architectures colorées faisaient fleurir la ville qui ouvrait ses gerbes de verre, entre-nouait les nervures illuminées de ses trans-tubes et dressait ses centaines de façades glacées, miroitantes, éclatées, dont le scintillement criblait le smog.

Après trois mille dollars de randonnée, j'étais complètement gavé. Comme je ne savais où aller, j'ai demandé au chauffeur d'arrêter, mais, pour qu'il consente à déverrouiller ses portes de sécurité, j'ai dû débourser trois mille dollars supplémentaires. Puis je me suis laissé promener dans un quartier comme tant d'autres, au fil des trottoirs mobiles.

En un rien de temps, j'ai été encerclé par une bande d'adolescents malingres et menaçants. La dureté de leurs traits les vieillissait, mais leurs membres grêles, leur taille fluette et leurs gestes nerveux trahissaient leur jeunesse. Pas un mot, aucune expression d'amabilité; ils ne faisaient que quémander, en silence, les yeux rivés à mes mains, au cas où j'aurais sorti des dollars... ou une arme.

Je me suis arrêté pour leur distribuer des pièces de cent dollars, lentement, tout en leur posant des questions, avec douceur, pour en apprendre un peu sur l'époque. Leur univers, de la maternelle jusqu'à la maison de correction, passait par la TD et les jeux télématiques. À tout bout de champ, ils répétaient des slogans commerciaux, dont plusieurs que je venais d'entendre à la TD du taxi.

J'avais beau me décrocher les mâchoires pour leur préciser que je venais du pays au-delà de la mort, je n'arrivais qu'à les énerver. Ils voulaient savoir à quel poste je synthonisais cette drôle d'histoire. Quand j'ai voulu expliquer que leurs électro-jeux tri-dimensionnels dissimulaient la vérité, ils m'ont pris pour un fou, un ennemi de l'Étatout, et ils ont paniqué. L'un d'eux me bouscula, les autres m'arrachèrent ma poignée de pièces, puis ils prirent la fuite en hurlant de rire, comme une bande de loups hystériques.

Dans ma chute, j'avais fissuré mon réservoir de secours, et le sang synthétique coulait sur le trottoir, attirant un groupe de chiens. J'ai dû débourser cinq mille précieux dollars pour me procurer une nouvelle bouteille sur le marché noir du sang.

Quand la ville commença à s'illuminer, mais pas assez pour gêner les voyous, j'ai pris peur, et je suis entré dans un ciné TD. Pour faire changement, j'ai vu *New Yorkin' Under The Smog*. Puis j'ai flâné dans une cité commerciale souterraine, je me suis payé un massage à ondes chaudes, un sac d'authentiques carottes et un steak végétal, un peu trop vert à mon goût. Enfin, attiré par une pub-TD, je me suis risqué dans un Centre de la Connaissance qui promettait de répondre à toutes mes questions, à mille dollars le point d'interrogation.

Selon ma carte électronique, j'avais droit à trois questions. Après avoir transféré mille dollars dans l'appareil, je me suis approché du micro.

— Pourquoi l'œuvre de Yan Malter a-t-elle pris fin subitement?

Hélas, l'appareil ne comprenait pas le vieux français; heureusement, pour trois cents dollars, j'avais droit à un module de traduction automatique.

J'ai repris ma question et, pour quatre cents dollars de plus, j'ai demandé la traduction de la réponse:

— Lors d'une expérience régie par le docteur Albert Ratel, Yan Malter tomba dans le coma après avoir ingurgité soixante-dix grammes de thanatogènes. Cette expérience ratée devait précéder la rédaction d'une fiction scientifique, «Coma-70», qui jamais ne vit le jour. Par la suite on logea le corps inconscient de Malter dans une banque de mémoribonds, où il doit demeurer depuis lors. Puis les lecteurs oublièrent Malter, puis la science-fiction, puis l'écriture. À l'heure actuelle, Malter est sans doute décédé.

Mort! Moi?...

Je n'avais pas suffisamment de dollars pour corriger cet appareil, j'en avais à peine assez pour lui demander quelle serait la place d'un ancien auteur de science-fiction, devenu subitement vieux, et dépassé par sa réalité.

L'appareil m'échafauda une explication compliquée au sujet d'un art néo-rétro, dans une réponse qui soulevait plus de questions qu'elle n'apportait de satisfaction.

Mon compte électronique était à plat. J'ai tâté le fond des poches du médecin à qui j'avais volé des vêtement, mais j'ai récolté trois jetons de trottoir mobile, tout juste assez pour rentrer à l'hôpital. Ce que j'ai fait.

J'ai dû réduire le débit du sang synthétique pour être certain de revenir vivant, puis je me suis laissé emporter par le ruban ondulant du trottoir, dans une curieuse sensation d'ivresse et de légèreté. Le sang manquait, mon corps s'ankylosait, mais je flottais allègrement entre les beaux édifices miroitants qui rosissaient dans l'aube cendrée. Les architectures folles se succédaient dans la vélocité oudulante des songes. Je me sentais jeune, dégagé, pétillant, et je coulais dans les tubes de verre en fredonnant *New Yorkin' Under The Smog* .

Je suis arrivé dans le parc de l'hôpital comme une hirondelle ivre de printemps, à l'heure où les vieillards prenaient leur petite marche dodelinante. Je me suis déshabillé rapidement, j'ai pris la jaquette blanche d'un petit vieux, sans égard à son grand sourire idiot, puis je me suis mêlé aux pensionnaires.

J'étais en train de méditer mollement sous le chêne numéro 7 quand j'ai vu un médecin penché vers moi. Il ressemblait au jeune archéologue, ou plutôt au docteur Ratel, il m'était difficile d'en être certain, le débit de mon sang était trop lent pour que je puisse y voir clairement.

Je n'ai pas réagi quand il m'a invité à le suivre gentiment jusqu'à son bureau, pour y signer mon arrêt de vie.

— Nous t'attendions, me dit-il en cours de route, sur un ton badin. Maintenant que tu as dépensé tous tes dollars dans la ville, ta survie ne nous intéresse plus. Par contre, si tu consens à laisser des organes synthétiques, ta fille aura de quoi se payer un avocat. Elle en aura grand besoin, puisque l'Étatout l'a accusée de complicité.

Je trouvais cela raisonnable. Je n'avais plus assez de sang dans les veines pour offrir la moindre résistance.

Cette survie m'avait complètement épuisé, ma science-fiction était du passé, j'avais oublié ma mission, et mon esprit égaré louvoyait dans les corridors blancs, comme aspiré par un courant d'air, ou par la mort. Tel un spectre dans un labyrinthe, je m'élevais, je longeais le plafond, flottant sur de délicieux courants de lumière intense, puis j'ai franchi une porte fermée, j'ai monté au-delà d'une série de projecteurs, et j'ai aperçu subitement mon double, soixante-dix ans plus jeune, étendu sur une table d'opération, au milieu de médecins gesticulants.

Je voyais ma bouche qui s'ouvrait en quête d'air et je me sentais aspiré dans un vortex vertigineux, qui m'appelait vers ce trou de chair.

Tout à coup, l'air a fait irruption dans les poumons douloureux du jeune homme, suivi d'un éclair de conscience dans son cerveau.

Mon cerveau!

Et je me suis évanoui de soulagement.

• • •

— Enfin, te voilà de retour, mon vieux!

Dans une buée de lumière vive, je distingue l'expression apaisée d'un médecin qui se détache du groupe de ses confrères.

— Albert?... Tu es sûr qu'on est bien vivants?

Ce sourire, jamais je ne l'ai trouvé si réconfortant! C'est comme s'il me transmettait une onde frénétique, un désir de mordre dans la vie.

— Tu nous as foutu une de ces trouilles, tu sais? La dose de thanatogène a failli t'emporter, mon cher Yan. Pendant soixante-dix secondes, ton encéphalogramme est resté à plat. Heureusement, le respirator a pu te sortir de là. Mais où donc étais-tu passé?

— La paix! Laissez-moi seul avec mon âme! J'ai attendu soixante-dix ans pour écrire «Coma-70», et je dois y arriver au plus vite, pour faire mentir l'avenir...

Voyage au centre de la planète Mer

Prémonitions, prospectives et paravisions de tout acabit furent dépassées de loin. Même Rex Sunson, le brillant prophète multinational, en était devenu tout pâle. Et jusqu'aux dernières super-apocalypses d'Hollywood qui péchaient par modestie...

Bref, le cataclysme fut total.

Heureusement, la crème de la triste population humaine put s'agripper aux lambeaux de continents en train de s'effriter sous les secousses des séismes successifs. Ils étaient une poignée de misérables, une meute de nantis et d'arrivistes protégés par les gadgets les plus coûteux. Ils s'embarquèrent à bord de la seule sousmarinef existante, secrètement ancrée au dernier continent à chanceler à la surface de l'unique océan. Une immense gueule d'eau les avala, et ainsi plongèrent-ils au cœur de la planète aquatique.

Aussitôt, ils furent emportés dans le margouillis, secoués par de furieux bouillonnements, écrasés par une formidable pression. À peine avait-on atteint les profondeurs que le capitaine, profitant de l'accalmie, se fit nommer Noémo. Il se déclara le sauveur de la race humaine et prit le pouvoir absolu.

Comme il s'était enfermé dans le poste de pilotage, et que personne ne savait où conduire la sousmarinef, on lui laissa la direction de l'Atlantis.

Le néo-Noé ne s'était pas embarrassé du reste de la nature vivante; au lieu d'embarquer un couple de chaque espèce pour trimballer un zoo dans les ténèbres, il avait laissé toute la place à sa bande d'aventuriers. Avant de fermer le sas hermétique de son arche nucléaire, il avait tout juste pensé à faire remplir un frigo de gènes divers, histoire de conserver un capital génétique pour provoquer de futures mutations, sur un continent neuf, dont il se voyait déjà le dieu.

L'Atlantis était une véritable cité submersible, aux multiples quartiers divisés par des cloisons d'acier. L'atmosphère viciée était régulièrement commuée par d'immenses régénérateurs, et les citadins-passagers respiraient avec difficulté, en ouvrant la bouche comme des poissons engourdis. Leur mince énergie, ils la dépensaient dans des luttes farouches pour accéder aux postes de sous-capitaines.

Quand l'île Everest se fut écroulée à son tour dans ce qu'on appela désormais la planète Mer, les pitoyables survivants de la sousmarinef se cramponnèrent à l'uniforme doré de leur capitaine: lui seul leur semblait assez illuminé pour les piloter vers une éventuelle terre ferme.

Les rares images qu'ils avaient conservées de la surface terrestre, c'étaient des dessins animés de Walt Disney II, histoires édifiantes de quelques races disparues, et des vidéos de Rex Sunson, priant Dieu d'épargner les croyants de la peste bubonique à New-Babylone, de la famine en Amérique et des tornades ravageant la planète urbaine. Malheureusement, il n'avait pas pensé à ce nouveau déluge.

Les plus lucides des prophètes n'avaient pu que promettre la fuite vers les grands espaces à bord de vaisseaux spatiaux sans destinée. Dans cette vision postérieure du cataclysme, ils évoquaient maintenant des puces cherchant à quitter un chat en train de se noyer.

Au lieu de s'évader, la sousmarinef sans hublot avait piqué du nez dans le tumulte. Des remous de boue, des éclats de roc et des choses molles, pas très nommables, roulèrent contre sa coque. Sans répit, l'Atlantis descendait et virevoltait, comme dans les entrailles d'un monstre. Pendant longtemps, elle tourbillonna au milieu d'un bouillon où se mêlaient la terre, l'eau, l'air et le feu, et bien d'autres éléments. Pour passer le temps, les membres d'équipage se demandaient s'ils n'avaient pas été emportés dans une dérive sidérale: la planète liquéfiée n'avait-elle pas éclaté comme une goutte de pluie dans l'infini du ciel?

Pourtant Noémo restait imperturbable. Bien assis dans son fauteuil, les yeux clos, il cédait la barre à son robot de confiance. Parfois, on le croyait mort, mais d'autres fois il ouvrait l'œil, et alors il disait sentir une vie mystérieuse, partout autour, sur le point de transformer la sousmarinef.

Dans l'univers clos de l'Atlantis, l'éclairage électrique respectait l'ancien cycle des jours et des nuits. Seul l'inépuisable Noémo passait outre à ces limites. À la recherche d'une rive nouvelle, les yeux fixés sur ses écrans, le valeureux vieillard scrutait continuellement les éléments en bouillie.

Confinée dans un tel habitacle, clivé d'échelles, de tuyauteries, d'écoutilles et de cloisons d'acier, la triste population de la cité immergée se lassa vite de réécouter les saintes cassettes de Sunson. Les femmes prirent la relève. Elles décidèrent d'aménager la maison et d'organiser des divertissements. Au lieu de résister au tangage, on valsa au rythme de la sousmarinef. Bientôt, des marins enhardis par la fête trouvèrent un ingénieux moyen de fabriquer de la bière à base d'eau de mer. Puis on assista à un curieux music-hall, où des prêtresses-poétesses chantaient leurs visions d'un monde en liquéfaction, hanté par la condamnation de Sunson, le prophète-vidéo.

«La mer se gonflera du mal de la Terre, les vagues grimperont sur les vagues comme des bêtes en chaleur, une chimie maléfique rongera le cœur de la planète, des fusions dissolvantes s'attaqueront jusqu'à l'idée même de la pierre, des volcans surgiront du néant pour vomir des vers turgescents, et alors la matière même de la planète dégoulinera comme une vulgaire motte de substances stercoraires...», telles étaient les visions indigestes de Clara, la première papesse du prophète-vidéo, lui-même le premier voyant à prédire le revers de l'univers.

Clara menaçait de répandre le délire dans un monde de murs métalliques déjà menacé par la claustrophobie. Il fallut s'en débarrasser, discrètement, par un sas à ordures.

Mais déjà les néo-prophétesses proliféraient en décrivant à qui mieux mieux les différentes morts anticipées de la sousmarinef. La police noémienne dut bâillonner plusieurs sous-capitaines, pour qu'ils taisent le scandale de la perte constante d'énergie. La température de la cité sousmarine augmentait ostensiblement. Les régénérateurs auraient eu besoin d'être régénérés. Les enfants nés sous la mer commençaient à mal s'accommoder du micro-climat surchauffé. Visiblement, ils cherchaient à fuir l'Atlantis. Les plus démunis se cognaient la tête contre la coque, les autres s'échappaient par les sas de secours, plusieurs prenaient plaisir à explorer la mer sans fond, et certains apprenaient à nager avant de parler.

Un jour, Noémo délaissa ses écrans insondables. Il désirait rencontrer la principale voyante-vedette de la nouvelle génération. C'est ainsi que le vieillard courroucé reçut à ses appartements la talentueuse Tellura, dite «la belle énigmante», l'idole des jeunes. Surtout ceux qui avaient la peau écailleuse, les mains palmées et les pieds effilés, plus ou moins en forme de nageoires.

Drapée dans une longue cape chatoyante, Tellura mettait en évidence ce teint blafard et ces grands yeux globuleux, sans profondeur, propres à ceux qui ignoraient le sol et le soleil. Elle rappela au sombre capitaine que les jeunes n'arrivaient même pas à imaginer les belles cités du passé: New York tenait du mythe, Paris, de la folie, Rome, de la foi, et le monde de la surface était pour eux une chimère, un ciel hypothétique où un jour flotteraient leurs cadavres... Quels espoirs Noémo réservait-il à ces enfants de l'océan?

Certes, ils semblaient batifoler dans l'eau; s'ils y parlaient peu, ils souriaient beaucoup. Comme si l'eau les rendait euphoriques. Souvent ils communiquaient leur joie par une sorte de ballet aquatique où se mêlaient leurs membres graciles et leurs corps filiformes. Ils nageaient nus, ils nageaient de plus en plus, des nageoires leur poussaient comme des ailes sur les épaules, comme des ailerons le long de l'échine, et plusieurs parvenaient à respirer par les pores de la peau. Les plus téméraires s'encourageaient à pousser leurs explorations le plus loin possible, et leurs idoles se trouvaient parmi ceux qui jamais n'étaient revenus.

Les Anciens, quand ils les obligeaient à rendre compte de leurs sorties, devenaient déroutés par leurs nouvelles valeurs, provenant toutes de l'élément liquide. En vain les vieux professeurs peinaient à leur enseigner des notions désuètes, basées sur la propriété privée et les frontières nationales. Dans l'eau, les barrières ne tiennent plus, la raison se liquéfie, les concepts se confondent et les lourdes structures coulent. Dans l'eau, on pense avec ses nageoires, ou alors on se noie.

Grâce à la révolutionnaire méthode respiratoire du professeur Lavoyer, la plupart des jeunes parvenaient à vivre sous l'eau. Un jour, puis deux, et ça continuait. Tellura assurait que l'être humain entrait dans une phase régressive, au terme de laquelle il rejoindrait ses ancêtres sortis de la mer. D'autres voyantes, plus radicales, traitaient Noémo de despote aveugle, prêt à étouffer la génération mutante dans une cité-cercueil.

Le vieux capitaine offrit à Tellura un verre de bière de mer et, en lissant sa barbe blanche, longue et mince, il l'invita à prendre place devant un écran chatoyant, où bougeaient des formes plus ou moins floues.

— Ainsi, selon votre logique, chère Tellura, les enfants de nos enfants verraient un jour se confondre l'eau, l'air, la terre et le feu?

— Et bien d'autres éléments.

D'un geste énigmatique, la papesse des profondeurs leva son verre devant ses yeux, près d'un écran lumineux, comme pour examiner l'effervescence du liquide.

— Regarde, mon vieux Noémo: on a l'impression qu'il y a de la vie dans ce verre, et pourtant, combien d'animalcules marins avez-vous tués pour réduire la mer à l'état de bière? Imaginez qu'une de ces minuscules cellules reste vivante, et consciente, lorsqu'elle glisse dans la bouche d'un géant, comme une sorte de dieu qui s'enivre de l'eau de la mer... Il en va ainsi des jeunes de l'Atlantis.

— De quelle bouche parles-tu donc, belle énigmante? susurra le capitaine en flattant nerveusement sa barbe.

— La Bouche d'où jaillit le Verbe... Pendant des siècles et des siècles, l'être humain a ignoré la grammaire de la vie, il n'a pu répondre à l'appel de Dieu. Maintenant sa bouche divine va nous aspirer, nous avaler, nous digérer. C'est l'ère de la bible à rebours. L'Atlantis retourne à l'aube de la création.

L'humain est revenu à la mer, sa bouche devient muette, il apprend à respirer dans l'eau, il communique en ondulant, c'est la communion par la natation!

— Bravo! Quelle belle révélation! On jurerait qu'on va bientôt assister au troisième jour de la création. Malheureusement, il y a un petit problème: mes sous-capitaines sont terrifiés.

—Clara disait: «Nage d'abord, ensuite tu paniqueras.»

Noémo grimaça; dans sa nervosité, il avait tiré trop fort sur sa barbe blanche. Puis, excédé, il pivota brusquement vers le gâchis qui déferlait à l'écran.

— Une sousmarinef errant dans un univers sans rive et sans fond, une cité close comme la nôtre ne peut durer bien longtemps si on n'a pas l'impression d'avancer quelque part... Voici donc ce que tu diras à tes fidèles suiveurs: l'Atlantis vogue vers une rive meilleure, elle y donnera naissance à une nouvelle race qui fondera le Monde Numéro Deux, lequel surgira de notre sousmarinef-mère...

— Sinon?

— Je t'inviterai publiquement, toi, tes mutants et tes bâtards, à prendre le large pour fonder sans plus tarder votre colonie de têtards!

Tellura laissa tomber sa bière de mer. Ses grands yeux mats faillirent quitter leur orbite et les écailles de sa peau se hérissèrent.

Soudain, la voyante se détourna, dégoûtée par les tics du vieillard: au rythme où il tiraillait sa barbe, il allait bientôt s'épiler le menton. Sans mot dire, elle sortit promptement, en faisant siffler sa cape tournoyante.

Noémo resta de glace, croyait-il, mais sa barbichette se mit à frémir et un mince filet de rire fusa de ses lèvres exsangues. La papesse n'avait plus d'arguments, elle n'avait plus d'autre choix que la soumission.

Le lendemain, devant ses subalternes, la voyante clarifiait ses visions.

— Dans un juste retour des choses, Dieu a forcé l'être humain à faire marche arrière, pour mériter la grâce d'une renaissance. Au terme de sa régression, notre monde subira une épreuve cosmogonique. Devant Dieu, l'Atlantis devra se présenter dans toute sa pureté, prête à obéir au Verbe, et à Noémo qui emprunte sa voix. Alors l'eau et les terres se scinderont à nouveau et enfin le Purhomme et la Purefemme surgiront à la surface.

Entre les cloisons et les couloirs métalliques de l'Atlantis, la nouvelle vision de Tellura résonna avec éclat, et beaucoup de chaleur, d'autant plus que l'atmosphère surchauffée se faisait sentir avec plus d'acuité. Pour relancer l'espoir d'une possible recréation, une jeune et jolie voyante se mit à prêcher à la télévision:

— «Au commencement, Dieu créa les cieux et la terre. La terre était informe et vide, les ténèbres couvraient l'abîme et l'Esprit de Dieu planait sur les eaux.»

En s'appuyant sur d'anciens mythes sacrés, Rasha mit peu de temps à devenir plus populaire que Tellura, et ses louanges à propos de Noémo, «le pilote béni», se répandaient partout à bord.

Le pilote béni en avait grand besoin. Comme il était impossible de fabriquer sur place certaines pièces défectueuses, la sous-marinef se désagrégeait lentement. Entre deux périodes de natation, qu'on cherchait toujours à prolonger, la vie n'était plus qu'ennui. De plus en plus souvent, de jeunes nageurs étourdis oubliaient de rentrer au bercail.

Mais bientôt une boue étrange se mêla à l'eau, qui devint plus chaude, et même acide, si bien que les nageurs n'osaient plus s'y risquer. La chaleur finit par affecter la sous-marinef, elle commença par monter à la tête des manœuvres, tandis qu'ils essayaient de réparer les régénérateurs d'atmosphère. Les passagers se sentaient oppressés, des conflits éclataient pour des riens, la moindre cloison devenait source de divisions. Toute sacrée qu'elle était devenue, l'Atlantis n'en demeurait pas moins compartimentée en diverses factions paranoïaques, au service de politiques irréalistes. Un groupe de la Police Populaire découvrit que le succès rapide de Rasha devait beaucoup à Noémo, lequel finançait sa campagne télévisée. Mais l'opinion publique elle-même étouffa le scandale: on avait besoin de croire à la survie. L'Atlantis était entraînée par un courant puissant, inévitable, et le gouvernail devenait inutile. Les derniers nageurs écervelés avaient cuit en quelques secondes. Bientôt, on l'espérait timidement, le dernier jour de ce monde laisserait la place au premier jour d'une terre nouvelle. L'envers deviendrait l'endroit, et tous les éléments de l'univers fusionneraient.

Pour faire oublier les secousses qui bouleversaient l'Atlantis, Noémo multipliait les fêtes frénétiques. Dans leur ébriété continuelle, les danseurs ne se rendaient plus compte que le plancher s'esquivait réellement sous leurs pas. La population renfermée oscillait entre des sentiments de condamnation et de purification. Sous la bénédiction de Rasha, on cherchait l'oubli dans l'orgie.

Cependant, au plus fort de la fête, Tellura fit irruption dans le salon du vieux pilote béni, mais découragé. Habitée par une force inusitée, elle chassa les danseuses titubantes, fit taire les musiciens électroniques et, sans préambule, débita la vision qui venait de la secouer:

— Dans mon songe, c'était comme la réalité. Il y avait partout de l'eau et de la terre, aussi bien dire de la boue, et un jeune enfant s'y amusait. Des rayons dansaient autour de sa tête, signes de sa nature divine. De la boue, il esquissait des formes inhumaines, sans entendre la voix de sa mère.

— Dieu!... Dieu!... disait-elle en haussant la voix, reviens vite au ciel, la soupe est chaude.

— Était-ce... la mère de Dieu? demanda Noémo.

— C'était la mère de Dieu, répondit Tellura. Elle et son petit Dieu s'étaient promenés le long d'une sente intergalactique. Puis, dans un secteur perdu de l'infini, elle trouva plusieurs de ces belles planètes dodues qui plaisaient tant à son fils. Afin de lui confectionner une bonne soupe, elle examina quelques galaxies, en choisissant les planètes les plus juteuses... Enfin, lorsqu'elle plaça le bol de soupe sidérale sur la table, le petit Dieu huma le fumet puis, l'œil au ras du bol, il contempla les belles grosses planètes gonflées qui retournaient leur ventre dans le bouillon d'écume et les nuages de vapeur.

— Pauvre Tellura, tu n'aurais pas dû quitter ta cachette. Tes songes ne sont pas plus clairs que mes écrans.

Noémo, complètement blasé, s'était d'ailleurs retourné vers sa télé. Pour lui, le songe était terminé. Rasha, toujours là, toujours imbue d'elle-même, éprouva le besoin de diminuer Tellura.

— Entre voyantes, chère Tellura, tu ne crois pas que notre existence est assez compliquée sans ces visions grotesques? Suis donc les mythes à la mode, ma vieille: il y a l'extermination et la recréation, l'envers et l'endroit, la dernière nuit et le premier jour, la liquéfaction des corps et la réverbération des âmes, c'est plus qu'il n'en faut!

Toujours hantée par sa vision, Tellura continua:

— Dans mon songe, c'était comme la réalité, et Dieu était enfant. Il a pris une cuillerée de soupe et, parmi les grumeaux qui y tournoyaient, j'ai distingué la Terre. Ses continents étaient noyés au milieu des flots limoneux, entre des débris d'étoiles. À la vue de notre planète si piteuse, l'enfant-Dieu

eut une moue de dégoût. Mais sa mère l'aperçut, et elle insista:

— Allez! mange ta soupe si plus tard tu
veux devenir un Verbe haut en couleurs.

Dans les appartements du capitaine, les
invités dégrisaient sans pouvoir s'expliquer
les vibrations persistantes qui ébranlaient
l'Atlantis. Malgré les parois thermos, la chaleur ambiante se répandait et, par endroit,
les cloisons métalliques devenaient brû-
lantes. À cela s'ajoutait l'effet causé par le
songe de Tellura, qui en fit suer un bon coup.
Son histoire de soupe sidérale finissait en
queue de poisson, et les musiciens, même
s'ils étaient électroniques, hésitaient à reprendre la valse. À cause du tonnerre omni-
présent, qui semblait presser la carapace de
la sousmarinef, Noémo consentit à réagir aux
regards braqués sur lui.

Solennellement, il quitta son sofa, mais
au premier pas une secousse formidable le
projeta contre ses danseuses qui s'écroulèrent
sans la moindre grâce.

Les invités furent renversés avec tous les
objets, ils firent des pirouettes à travers une
panoplie de meubles démagnétisés, puis ils
roulèrent les uns par-dessus les autres, dans
un sens et dans l'autre, comme des vagues
frénétiques, avant d'être projetés sur les cloi-

sons. La sousmarinef elle-même roulait dans un tourbillon étourdissant. L'effet centrifuge plaquait les fêtards stupéfaits contre les tapisseries fleuries du salon. Tous les habitants de l'Atlantis, tous rivés aux murs. La cité submersible était aspirée dans un immense maelstrom, bouillonnant comme mille Niagara convergentes.

L'Atlantis avait basculé dans un gouffre. Elle avait glissé dans une sorte de canal contractile, puis, après des jours et des jours de descente tournoyante, elle plongea dans une grande mer en ébullition. Les passagers, maigres et épuisés, réussirent enfin à se décoller des murs. Noémo put se dégourdir et replacer un robot épargné à la barre de la sousmarinef qui cessait graduellement de s'agiter. Les effets du vertige passés, l'équipage retrouva le calme, ou plutôt une accalmie déjà menacée par une pression inquiétante.

Quand les appareils électroniques furent remis en état de fonctionner, leurs cadrans confirmèrent le malaise général: l'Atlantis stagnait dans une caverne démesurée, pressurée de toute part. D'après les sonars, on pataugeait dans une mer intérieure, hermétique, complètement entourée d'une immense poche élastique, aux parois pulsantes, oppressantes. Devant les rapports que lui remettaient les sous-capitaines alarmés, Noémo s'efforçait de ne pas sourciller, mais ses mains tremblotantes ne cessaient de lisser sa barbe, en arrachant les poils.

La fameuse cuirasse thermos était rongée par une matière corrodante inconnue, jamais prévue par l'inventeur. La chaleur devenait insupportable, l'oxygène mijotait, et les régénérateurs suffoquaient. Pour respirer un brin, il fallait remonter à la surface, car les radars venaient d'en découvrir une. Si on tardait trop à dévisser les écoutilles, on allait cuire comme un œuf à la coque!

Quand finalement la sousmarinef émit un grand floup à la surface des eaux, personne ne s'exclama: il n'y avait plus assez d'air pour crier sa joie. En sortant sur le pont écaillé comme une vieille poêle à frire, les notables de l'Atlantis furent saisis à la gorge par l'atmosphère toxique, remuée comme une vapeur verdâtre par les voûtes battantes de l'énorme caverne. Malgré la chaleur excessive, Noémo frissonnait en songeant à la vision de Tellura.

Non, ce n'était pas vraiment une mer intérieure, mais plutôt une mare, un magma mouvant, une immense flaque de vomissure, agitée de gros bouillonnements glauques et visqueux, d'où s'échappaient des miasmes putrides. Noémo, chancelant dans les bras d'un robot, fit monter un médecin.

Plus de doute possible, le médecin était catégorique: l'Atlantis flottait bel et bien dans un estomac d'au moins cent mille kilomètres de diamètre!

Le docteur Rocko, mi-ahuri mi-émerveillé, reconnaissait l'action dissolvante des sucs gastriques ou des acides chlorhydriques. Sa tête pâle pivotait dans tous les sens, comme s'il reconnaissait le territoire.

— Là! Regardez ces contractions musculaires, ce sont les mouvements péristaltiques, chargés de mélanger intimement les sécrétions et les aliments. Voilà donc pourquoi la pression et la chaleur augmentent tellement.

La belle explication!... La reconnaissance de cette anatomie fantastique suscitait plus de questions que de satisfaction. Tout à coup, le sourire de Rocko se crispa: sans mot dire, il venait de diagnostiquer la mort prochaine de l'Atlantis.

Dressés sur le pont au milieu des vapeurs chatoyantes, tous gardaient le silence; malgré les ronflements de la puissante musculature stomacale, ils entendaient nettement les millions de bulles effervescentes qui crépitaient contre la coque de la sousmarinef.

À intervalles réguliers, la mare convulsive se gonflait en faisant déferler un véri-table raz-de-marée sur l'Atlantis. Jamais la nef blindée n'avait paru si fragile. Elle était enfermée dans une sorte de cornue qui pulvé-risait, distillait, neutralisait, réduisait ce qui restait du potage aux planètes. Il y avait là des morceaux de continents mêlés comme les pièces d'un puzzle, des géographies déchi-quetées par les sécrétions gastriques et des amas de matières émulsionnées qui mijotaient en faisant siffler des gaz dans le ciel bas, chargé de poussières en suspension. L'atmo-sphère compressée haletait, explosait et fusait partout à la fois.

Soudain, les eaux s'ouvrirent à quelques kilomètres devant l'Atlantis et une forme étrange, comme un énorme cétacé, rigide, dressa son museau pointu à la surface. Ses flancs brillants, apparemment vitrifiés, émer-gèrent des vagues poisseuses, le temps de constater que c'était en fait un immeuble ef-filé, puis la masse de fer et de verre plongea dans la mare.

— L'avez-vous reconnu? s'écria un sous-capitaine. C'est le fameux Babel Building Bureau! Ses architectes avaient garanti qu'il pourrait résister à tout.

— Même à un estomac? ricana un autre sous-capitaine, suivi de quelques autres, dési-

172

reux de montrer qu'ils n'étaient pas pris au dépourvu.

— Il faudrait le poursuivre et l'accoster: il y a peut-être du monde là-dedans.

— Et qu'est-ce qu'on ferait de ces réfugiés?

— Où prendrait-on la nourriture pour satisfaire tout ce monde?

— On n'a qu'à se pencher. Nous flottons au milieu d'une soupe!

— Mais dans quel état!

— Laissons-les se débrouiller alors, puisque les architectes ont tout prévu.

Noémo leva un bras pour faire taire les spéculations.

— En tout cas, les architectes n'ont sûrement pas pensé à un gouvernail. Ou alors le capitaine de l'immeuble ne connaît rien à la marine.

Malgré la causticité de l'environnement chimique, le capitaine essayait de garder son sang-froid, mais il avait perdu sa belle barbichette blanche. Derrière lui, Tellura s'approcha en laissant flotter sa cape dans les vents acidulés. Elle paraissait tout à fait stoïque, comme insensible à la tempête gastrique. Solennelle, elle posa une main palmée sur l'épaule de Noémo.

— N'aie crainte, capitaine: nous approchons du ciel!

— Quoi? Tu n'es pas encore sortie de ton songe?

— Le songe est devenu réalité. Nous venons d'effectuer un bon périple à l'intérieur du jeune Dieu qui donnera naissance au Monde Numéro Deux. Pourvu que nous ne lui causions pas de problèmes de digestion...

— Sinon...?

— Il nous vomirait!

Noémo resta muet, grimaçant dans les vapeurs acides. Seul son regard s'animait, balayant la paroi de l'estomac divin, comme s'il pouvait y trouver une faille. Il doutait encore de sa situation, et pourtant il se demandait dans quel état il pourrait s'en sortir.

La belle énigmante se retourna vers le docteur Rocko, qui examinait un point de la voûte entre les nuées violacées. D'un doigt tremblant, le médecin lui désigna une sorte de noyau en relief sur la paroi.

— Large plaie circulaire, à vif, laissée par une faiblesse dans les muqueuses, diagnostiqua Rocko. Le renfoncement de chair rosâtre est limité à sa périphérie par un bourrelet épais, où convergent des centaines d'ondulation péristaltiques.

— C'est-à-dire?

— Ulcères. Excès d'acidité. Lésions localisées. Origine psychosomatique. On dirait que notre Dieu passe un mauvais moment.

— Il faudra prendre garde de ne pas l'irriter... Et que pensez-vous de cette curieuse marée circulaire qui nous entraîne au centre de la mer?

— Rien de plus normal. Sans doute le ressac causé par l'action du pylore, situé au bas de l'estomac. Cet orifice duodénal est muni d'un sphincter qui s'ouvre et se referme de façon intermittente, pour laisser passer les aliments digérés.

— Noémo plissa les yeux et ouvrit la bouche toute grande, comme s'il cherchait de l'air, ou ses mots. Puis il finit par articuler son désarroi:

— Il faut absolument sortir d'ici. Tout le monde à l'intérieur! J'alerte la chambre des torpilles et nous défoncerons ce maudit estomac!

Tellura plaqua sa main poisseuse sur les lèvres sèches du vieillard:

— Pour aller où?

— On verra bien!

— On ne verra rien: Dieu en crèvera. Et plus de Dieu, plus d'Atlantis, plus de Monde Numéro Deux!

Une fois de plus, Noémo était réduit au silence, perdu dans une profonde incompréhension où s'enchevêtraient les conjectures les plus aberrantes. Dans un geste automatique, sa main nerveuse commença à lisser sa barbe imaginaire. Tellura sentit que le moment était venu.

— Observez la cadence des parois battantes et des marées successives, imaginez la succion saccadée du sphincter, sentez-vous le tempo de ces ondes contractiles qui animent notre monde en expansion-contraction? Nous sommes dans un univers en mouvement. En suivant son rythme, nous pourrons en sortir. Il s'agit de passer par le sphincter au moment où il s'entrouvre.

Rocko opina tristement:

— Tout ce qui entre par une voie naturelle peut sortir par une autre voie naturelle.

— Oui! La seule issue passe par les viscères de Dieu.

Noémo se grattait le menton furieusement. Tout à coup, il sortit des nues. Toujours muet, mais avec une détermination inquiétante, il fit signe à ses sous-capitaines de disparaître dans la sousmarinef.

Tellura, cependant, parut insatisfaite. Elle n'avait pas eu le temps de mentionner sa nouvelle vision: dans sa descente à travers les entrailles de Dieu, l'Atlantis devait rencontrer Ténia, l'énorme serpent solitaire qui gardait les viscères de l'enfant-Dieu...

On le verra bien assez tôt, pensa-t-elle en s'enfonçant dans une écoutille.

Pendant les longues minutes où Noémo, le menton en sang, se rendit au poste de pilotage, il rumina des pensées troubles. Une fois arrivé devant ses écrans, il sembla revenir à lui. D'un geste autoritaire, il brancha le périscope à tête chercheuse, puis il décrocha l'interphone. De sa voix autoritaire de capitaine, il prononça les trois mots qui s'imposaient:

— Parés pour plonger?...

N'ajustez pas vos hallucinettes

C'est long, 639 ans en plein vide, dans un vaisseau stationnaire, sans autres histoires que les péripéties programmées des hallucinettes...

Par bonheur, Lucien dormait la plupart du temps — même les yeux ouverts! — tandis que son jeu vidéo, inépuisable, lui projetait des effets spéciaux directement dans la cervelle.

Rien de mieux que ce gadget pour oublier l'imminence de la catastrophe internationale. Grâce à ses hallucinettes, Lucien avait fait un bond dans l'histoire, pour parvenir intact dans une période plus paisible, après la Troisième Guerre mondiale.

Son projet anti-temporel n'était-il qu'une

fuite intérieure? Maintenant la question n'avait plus d'intérêt: depuis deux ou trois cents ans, il avait oublié le sens de son expérience. Pour tromper sa solitude, Lucien avait trouvé de joyeux copains; ses hallucinettes lui présentaient des personnages colorés, qui lui tombaient dans l'œil et lui pénétraient dans le cerveau, jusqu'au plus profond de ses rêves, éveillés ou non.

Ses compagnons préférés semblaient sortis tout droit d'une B.D. hallucinée. Il y avait les Trois Petits Jambonnots, gros, gras, pâteux et pâlots, la bouche et les yeux réduits à des orifices obscurs, comme trois trous de nuit dans leur face de guimauve dodue. Il y avait aussi Fleur-de-Fer, demi-entité encapée de mystère, ne laissant voir que sa tête de bourgeon chromé et une main métallique, en fait trois doigts de poulet mécanique, toujours crispés sur son cœur. Mais le plus respecté de tous était le Docteur Sphock, sérieux comme un pape, veillant à la totale immutabilité de La Berlue, ce nouveau type de vaisseau à l'épreuve de la folie.

Ce cher Sphock avait tellement réfléchi sur la destinée de la psychonef que son crâne s'était dégarni, et une brèche lui avait ouvert l'arête du nez. Parfois, au milieu de la nuit infinie, Lucien y apercevait des synapses, comme des étincelles entre ses petits yeux malins. Malgré ce léger défaut, Sphock avait fière allure: la détermination imprégnait ses nobles traits et son regard implacable scrutait infatigablement le fond de la spiritosphère, à l'affût des pièges de l'entropie.

Les Jambonnots avaient la mitraillette facile, l'être métallo-floral agitait des serres d'égorgeur, et Sphock, en dépit de ses bras confectionnés avec des bouts de tuyaux, pianotait sur ses touches comme un virtuose du clavier. Avec cette équipe du tonnerre, Lucien pouvait fermer l'œil et rêver en paix.

Il lui arrivait souvent de sommeiller ainsi dix ou douze mois, bien allongé au froid dans le scaphandre-à-sommeil qui régulait ses fonctions vitales et le nettoyait toutes les saisons. Mais, un bon matin, Lucien s'éveilla en sursaut, voyant un vaisseau inconnu foncer sur lui. Un très curieux appareil, identique au sien, comme si La Berlue fonçait dans un miroir céleste...

Quelque peu engourdi par sa sieste de 3200 heures, il dut perdre une demi-journée avant de réagir. Des scènes de cauchemar l'obsédaient, refusant de retourner à la nuit. Lorsque Lucien réussit enfin à convoquer Sphock, il était trop tard: l'appareil étranger bombardait La Berlue.

La vie vous ennuie?
Vivez la nuit.

Pour des rêves plus nets,
Essayez les hallucinettes.

Dès qu'il vit cette pub vidéo, Lucien songea à décoller définitivement de ce qu'on appelait le réel. Les explications suivantes firent tomber toutes ses réticences.

La réalité n'existe pas,
puisque chacun en a une vision différente.

La seule réalité,
c'est la perception de chacun.

Donc,
en changeant votre vision du monde,
vous modifiez votre réalité!

Le truc semblait d'une simplicité aussi désarmante qu'efficace: une paire de lunettes hallucinatoires, apparemment opaques, dont les branches étaient terminées par de petits appareils envoyant des ondes dans le cerveau.

Vous glissez une mini-cassette dans les hallu-
cinettes, et aussitôt votre œil gauche capte des
images et les envoie à l'hémisphère droit du cer-
veau, celui des fantasmes, tandis que l'œil droit,
derrière le verre teinté, continue de percevoir votre
environnement.

Un verre pour chaque hémisphère: l'un pour
percevoir l'extérieur, l'autre pour rêver l'inté-
rieur. Voilà qui favorisera votre équilibre...

Lucien ne pouvait plus se passer de ses hallucinettes. Sans elles, il avait l'impression d'être nu, vide, sans attrait pour lui-même. Paradoxalement, les verres noirs de ses lunettes devinrent une fenêtre ouverte sur son univers personnel. Et bientôt, la vision de son œil gauche devait contaminer l'autre...

Son projet essentiel: échapper à l'entropie. Tuer le temps qui tue tout.

Le monde vieillissait mal, il courait à sa perte, mais Lucien concevait ses hallucinettes comme une machine à ne pas voyager dans le temps. Pendant que l'histoire continuait d'évoluer vers le Cataclysme, Lucien se réfugierait dans un vaisseau immuable pour foncer à rebrousse-temps, en se maintenant dans un éternel présent, hors du fatidique continuum spatio-temporel.

Plus tard, si jamais l'évolution débouchait

sur une quelconque oasis de paix, Lucien regagnerait le temps historique, il assumerait sa vie — et sa mort — pour apparaître devant les anthropologues de l'avenir, inchangé, témoignage vivant de la folie d'une époque invivable.

Lucien avait plongé trop profondément dans ses fantasmes; il s'imaginait qu'il pouvait enlever ses hallucinettes à volonté, mais il restait prisonnier de la coquille anti-entropique de La Berlue. Le projet avait si bien marché que Lucien l'avait oublié! Seul le valeureux Sphock semblait saisir le sens de cette expérience, mais il devait rester bien sagement derrière les hallucinettes de Lucien.

•••

Les problèmes avaient commencé lorsqu'il avait modifié ses hallucinettes pour décrasser quelques neurones inutilisés. Plus précisément, depuis qu'il avait visionné *Les Trois Petits Jambonnots et le chauve-cochon*, l'histoire d'un gros cochon ailé, avalant trois gentils jambons.

Lucien n'en dormait plus, le scaph-à-somme ne parvenait plus à l'engourdir correctement, il voyait toujours ce mauvais ange porcin en train de faire la loi dans le vaisseau. Et quand cette grosse cochonnerie volante fit jaillir la sève du crâne de Fleur-de-Fer, Lucien crut perdre la tête.

Vite, il lui fallait trouver ses hallucinettes pour modifier cette vision détestable! Mais elles n'étaient visibles nulle part, et Sphock ne lui était d'aucun secours, occupé qu'il était à mâcher un rayon de feu jailli du néant, ou de La Berlue-II, ou peut-être du cerveau malade de Lucien.

Soudain, en portant ses mains tremblotantes à ses tempes douloureuses, Lucien toucha les branches de ses hallucinettes! Pendant des mois il avait donc dormi avec ce cochon nocturne?! Pas étonnant de voir cet animal continuer de le hanter à son réveil.

Sans plus tarder, Lucien saisit le bouton de contrôle de ses hallucinettes et il le tordit méchamment, pour effacer le porc volant.

Seul résultat: Lucien tordit la nuit!

Le cochon volant fondait sur lui. Il colla son gros groin gluant sur ses hallucinettes et, tel un aspirateur affamé, il aspira la moindre volonté de Lucien.

•••

Les hallucinettes hallucinaient! Sphock en vomissait des étincelles. Fleur-de-Fer chancelait, les serres bioniques crampées sur son cœur détraqué. Le chauve-cochon flip-flappait comme un oiseau de basse-cour, matraquant tout ce qui avait forme de crâne. Et le vaisseau rival, réel ou non, en profitait pour trouer la carapace de La Berlue.

Lucien, immobile, dépassé par le chaos, restait coincé dans l'anti-temps, telle une momie hors de son scaphandre. Incapable de régler ses hallucinettes, il tenait son pisto-laser devant lui, comme un objet embarrassant. On ne descend pas un cauchemar à coups de rayons laser!

— Docteur Sphock! suppliait-il dans son cerveau à demi paralysé, je vous en prie, venez régler mes hallucinettes.

Rapide et perspicace, Sphock ne mit que quelques heures pour évaluer la situation. S'il ne prenait pas le contrôle du programme, le chauve-cochon ou le vilain vaisseau enverrait valser La Berlue dans la nuit spirito-spatiale.

Vif comme une synapse, le docteur remonta les conduits électropsychiques des hallucinettes et atteignit le mécanisme de contrôle. D'une poigne de fer, il tordit le bouton, la nuit et le cerveau malade de Lu-

185

cien. Jusqu'à ce que le vaisseau pirate jaillisse de son œil halluciné.

•••

Lucien aurait dû le savoir: le héros de ce programme, c'est moi, Sphock!

Tout va pour le mieux, maintenant que j'ai pris les commandes de La Berlue. Le gros cochon volant vient d'éclater en délivrant les Trois Jambonnots, tout ronds, aussi dodus que des nounours en pâte. Mais j'ai dû cacher les hallucinettes de Lucien. À quoi bon lui rappeler un mauvais souvenir? D'autant plus qu'il ne peut plus les utiliser. Les corsaires de la spirito-sphère lui ont crevé l'œil droit; ne reste plus qu'une cavité vide, bordée d'une tache écarlate. Clin d'œil de sang.

— Docteur Sphock! crie Lucien dans sa boîte crânienne, délivrez-moi de l'anti-temps. Je veux vivre, laissez-moi mourir! Je vous en supplie, débranchez mes hallucinettes.

Il croit qu'il les porte toujours! Sans doute le chauve-cochon lui a-t-il dévoré une partie du cerveau.

Exténué, il appelle ses comparses. Mais les trois frérots fument comme des jambons boucanés, tandis que Fleur-de-Fer gît sur le plancher, au milieu d'une flaque de sève, ou d'huile; sa tête de bourgeon ne fleurira jamais.

Lucien ne peut que fixer son œil unique droit devant lui, sur son destin déréglé. De peur de tout perdre, il prend son journal de bord, dans une tentative désespérée pour y consigner ses pensées à la dérive. Mais un mur de mots se dresse devant lui, comme une page immense, lui voilant l'horizon. Le mur pivote pour laisser apparaître un être humain, énorme, seul, les yeux mobiles, puis la page se referme sur la nuit.

Il ne lui reste qu'une solution, radicale; je l'ai devinée avant même qu'il ne l'ait formulée. Dissimulé dans son cerveau malade, je tente de le faire changer d'idée, mais il n'a plus qu'une seule idée: en finir avec La Berlue.

Dans une tentative désespérée, je rappelle à Lucien le bien-fondé de son voyage immobile, tandis que le monde continue de s'abîmer autour de lui.

Bouger, c'est mourir!

La parfaite immobilité est la condition essentielle de notre survie.

Car je dois absolument empêcher Lucien de faire le moindre geste. Sinon, je l'ai lu dans ses pensées, il va porter son pistolaser contre sa tempe droite, pour me tuer à l'intérieur de son cerveau.

LES TEXTES SUIVANTS SONT UNE VERSION REMANIÉE DE NOUVELLES DÉJÀ PARUES EN REVUE

LES ORPHELINS DE HOI TRI
Mille Plumes nº 2, Montréal, mars 1978

•

JACKIE, JE VOUS AIME...
Requiem nº 24, Longueuil, décembre 1978
Prix Boréal 1980

•

KING KONG III
Requiem nº 19, Longueuil, janvier 1978

•

COMA-70
(*sous le titre* Une nouvelle page)
Espace-temps nº 10, France, printemps 79

•

VOYAGE AU CENTRE DE LA PLANETE MER
(*sous le titre* Voyage au centre de la Digestion Divine)
Requiem nº 26, Longueuil, avril 1979

•

N'AJUSTEZ PAS VOS HALLUCINETTES
imagine... nº 21, *spécial imagitextes*
Montréal, avril 1984
(Cette nouvelle a été rédigée à partir de deux dessins de Benoît Laverdière, reproduits dans *imagine...* nº 21)

•

JULIE JOYAL APPELLE LES ÉTOILES
est une novella inédite,
écrite en décembre 1990.

DANS LA MÊME COLLECTION